居合道

その理合と神髄

檀崎友彰

著　者

林崎居合神社。社殿裏は広大な梅林。山形県楯岡駅より西方にバスで約30分の所にある

林崎重信公肖像

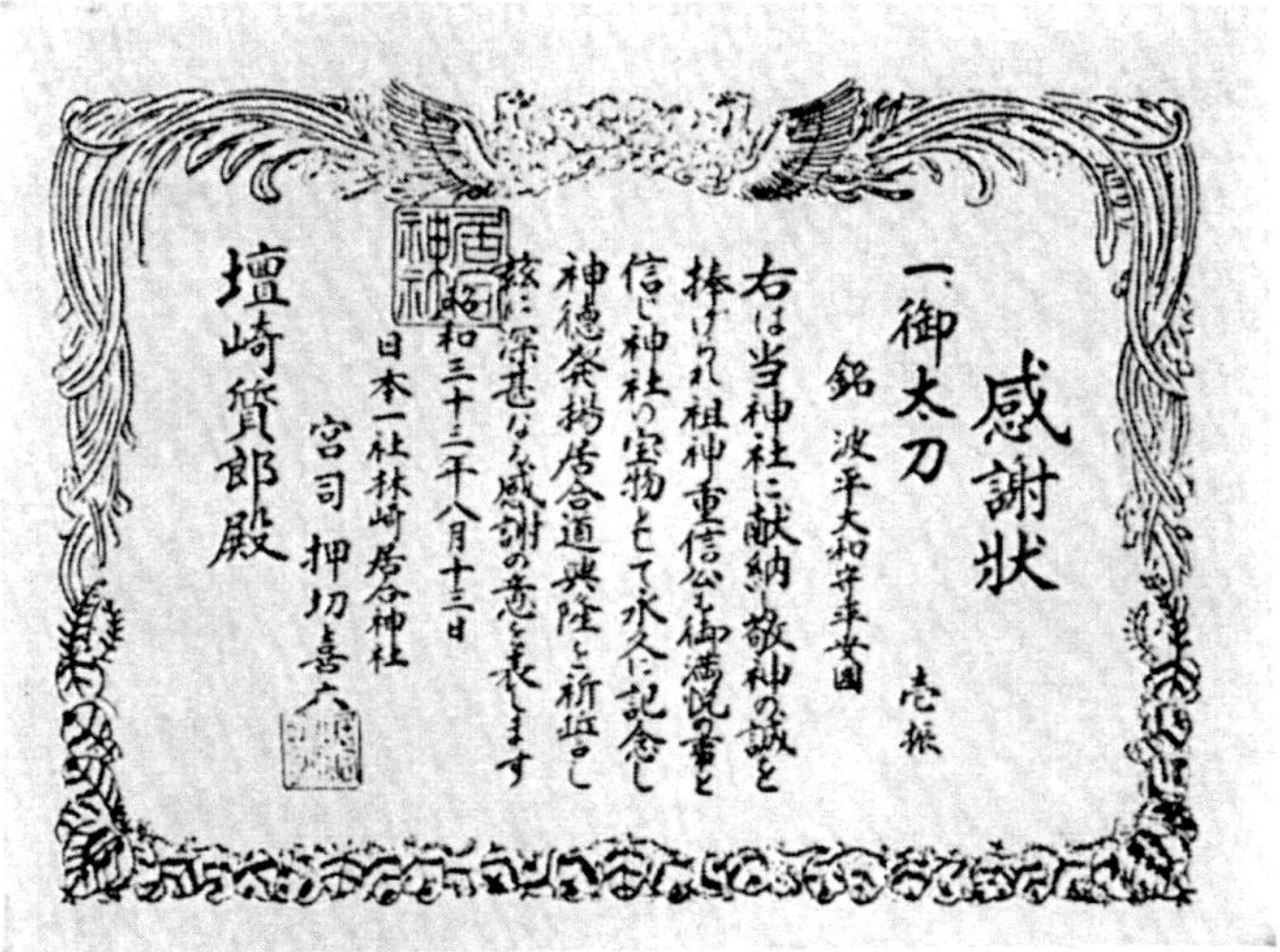

感謝状

一、御太刀　壱振

銘　波平大和守平安国

右は当神社に献納し敬神の誠を捧げられ祖神重信公も御満悦の事と信じ神社の宝物として永久に記念し神徳発揚居合道興隆を祈誓し茲に深甚なる感謝の意を表します

昭和三十三年八月十三日

日本一社林崎居合神社

宮司　押切喜六

壇崎質郎殿

上段の刀は著者奉納による波平大和守平安国（長さ２尺９寸２分）

林崎神社に掲げてある林崎先生の遺された歌

著者が同志とともに建立した中山博道先生の碑

著者の奉納による林崎居合始祖神碑

林崎神社に立派な道場が完成

昭和17年12月27日，九段の靖国神社相撲場に於て行われた著者引退披露大相撲の断髪式でハサミを入れる恩師中山博道先生。左側に立っているのは恩師元清瀬川の先代伊勢ケ浜親方

日本武道館で行われた第１回世界剣道大会にて　　詰の位　その１

詰の位　その２

詰の位　その3

詰の位　その4

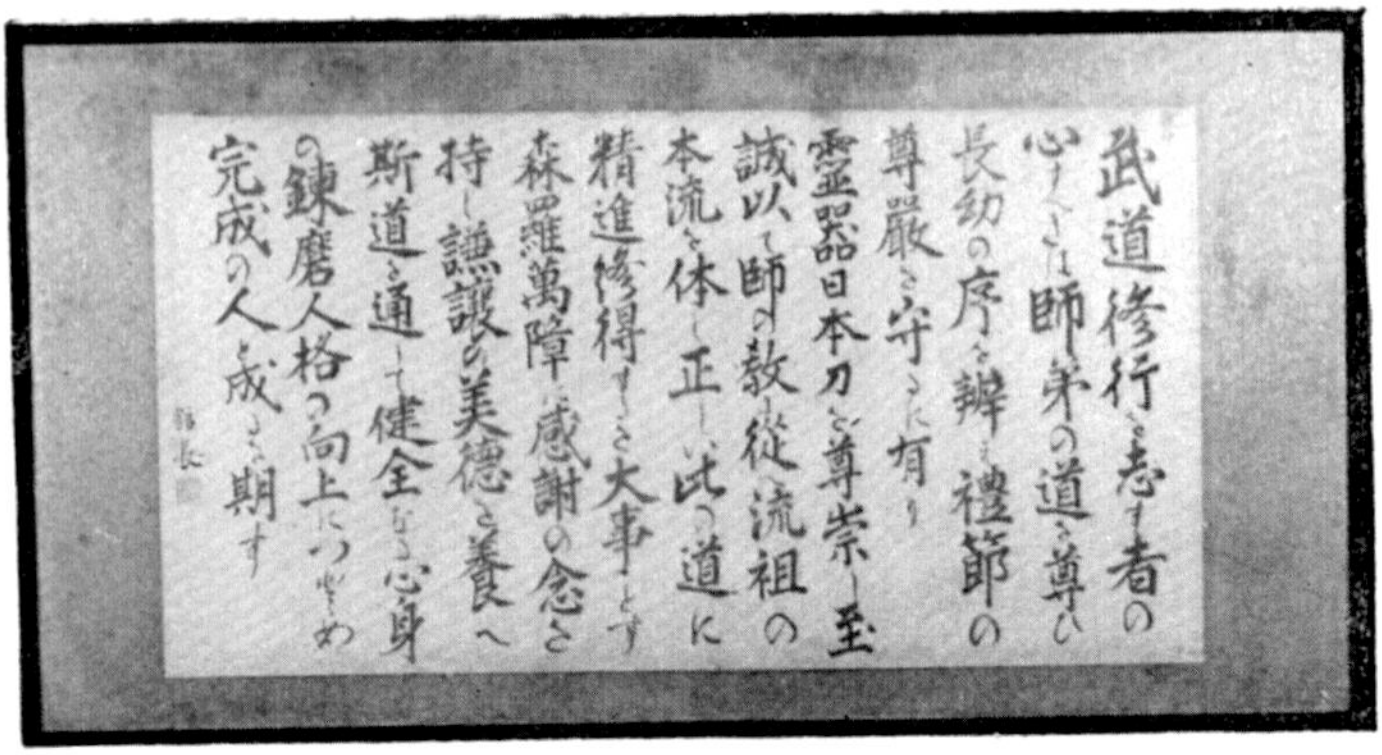
武道修行を志す者の
心すべきは師弟の道を尊び
長幼の序を辨え禮節の
尊嚴を守るに有り
靈器日本刀を尊崇し至
誠以て師の教に從い流祖の
本流を体し正しい此の道に
精進修得するを大事とす
森羅萬障に感謝の念を
持し謙譲の美徳を養へ
斯道を通して健全なる心身
の錬磨人格の向上につとめ
完成の人と成るを期す
館長
研修館の道場訓

中山博道先生愛用の居合刀，竹刀，防具

中山博道先生

細川義昌先生の生家を訪ねた著者
左から，三谷範士，細川先生嫁，石垣氏，著者，細川先生姪，元力士高ノ峯の方々

細川義昌先生の生家

中山博道先生履歴

中山先生は明治六年金沢市に生れ、同二十二年上京して斉藤理則先生に就いて剣を学び、二十四年根岸信五郎先生の門に入り、神道無念流を学ばれた。三十八年東京本郷真砂町に道場「有信館」を開き、子弟養成の傍ら土佐の細川義昌先生に就いて居合術を学び、また筑前の内田良五郎先生に師事して杖術を学ばれた。

大正二年神道無念流第七代を相伝、同九年大日本武徳会から剣道、居合道の範士号を授与され、また一等功労章を賜った。同十一年夢想神伝流第十八代を相伝した。

昭和二年杖道範士号を授与された。剣道、居合道、杖道と三つの範士号を持つのは中山先生が初めてである。同四年御大礼記念天覧試合の審判員をつとめ、高野佐三郎先生と日本剣道形を演ずる。同七年有信館本部を設置し、門人育成に励む傍ら、皇宮警察部の主席師範、警視庁、東京大学、慶応大学、三菱、海軍兵学校、明治大学、中央大学、法政大学など、大小合わせて二十数ヵ所の剣道師範を歴任し、八面六臂の活躍であった。身長一六〇センチ足らずの小柄で、きゃしゃな体から、どうしてこんな絶倫な精力が生れるのかと、不思議がられたものである。

昭和九年に行われた皇太子殿下御誕生奉祝天覧試合にも審判をつとめ、高野佐三郎先生と日本剣道形を演じたが、この日、指定選士の決勝試合開始前、中山先生の居合が天覧の光栄に浴した。紋服、はかまに威儀を正した中山先生が道場中央に端座した御姿は、神々しく、その妙技は又見事なものであった。

中山先生の後進の指導ぶりは、気迫にあふれるものであり、慈愛に満ちたものであった。この剣風に鍛えられた門弟の数は、生涯を通じて枚挙にいとまがないほどである。主なる高弟を挙げれば、橋本統陽、山本忠次郎、増田貞之輔、八木参三郎、土田武司、児玉高慶、羽賀準一、山蔦重吉(以上故人)、現在活躍中の長本寿、林晃、中島五郎蔵、中倉清、瀬上正治、滝沢愿、筆者等の諸範士である。

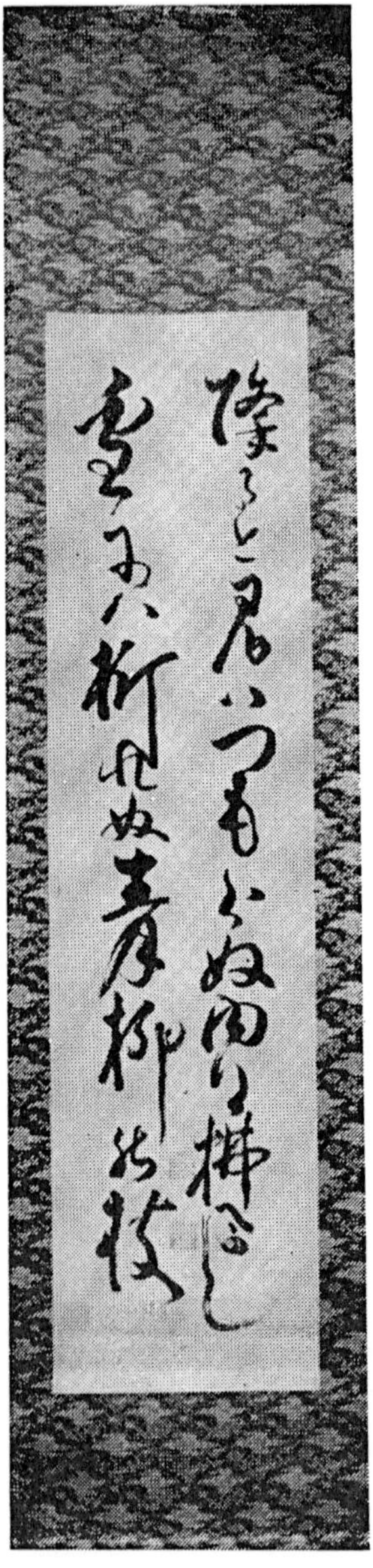

(中山先生の筆蹟)

中山博道先生の教えと逸話

板垣退助伯

中山先生は初め渋沢栄一翁の居合を見てこれは学ばねばと心に決めたが、先生が二十歳代の頃、土佐の居合を学ぼうとして当時、土佐出身の大臣であった板垣退助伯に相談したところ心よく承諾され、板垣伯が帰郷の折にお供して土佐に渡った。しかし寄留すること十有余日、板垣伯より何のこともない。中山先生しびれを切らしていると、ある日、中山今日は居合を教えてやるよと言われた。先生は小躍りして喜んだが、ご紹介いただいたのは細川義昌先生であったという。細川先生は後で「板垣は居合を知らないのだよ」と言われたそうである。

こうして中山先生は細川先生のもとで本格的に指導を受けたのであるが、その間十数日のうちに大江正路先生を訪ねて居合を拝見し色々とお話を承っておられるようである。細川義昌先生は夢想神伝流の十七代宗家であり、政治家としても代議士をつとめられた方である。そして中山先生は十八代宗家を伝授され、襲名したのである。

筆者も土佐に渡り細川義昌先生の生家を訪ね色々と記録をいただき、十六代島村右馬之亟先生、細川義昌先生の墓参をしてきた。細川先生の嫁さんが御家を守り姪の八十六歳になるおばあさんがよく御話し下さった。（口絵写真参照）

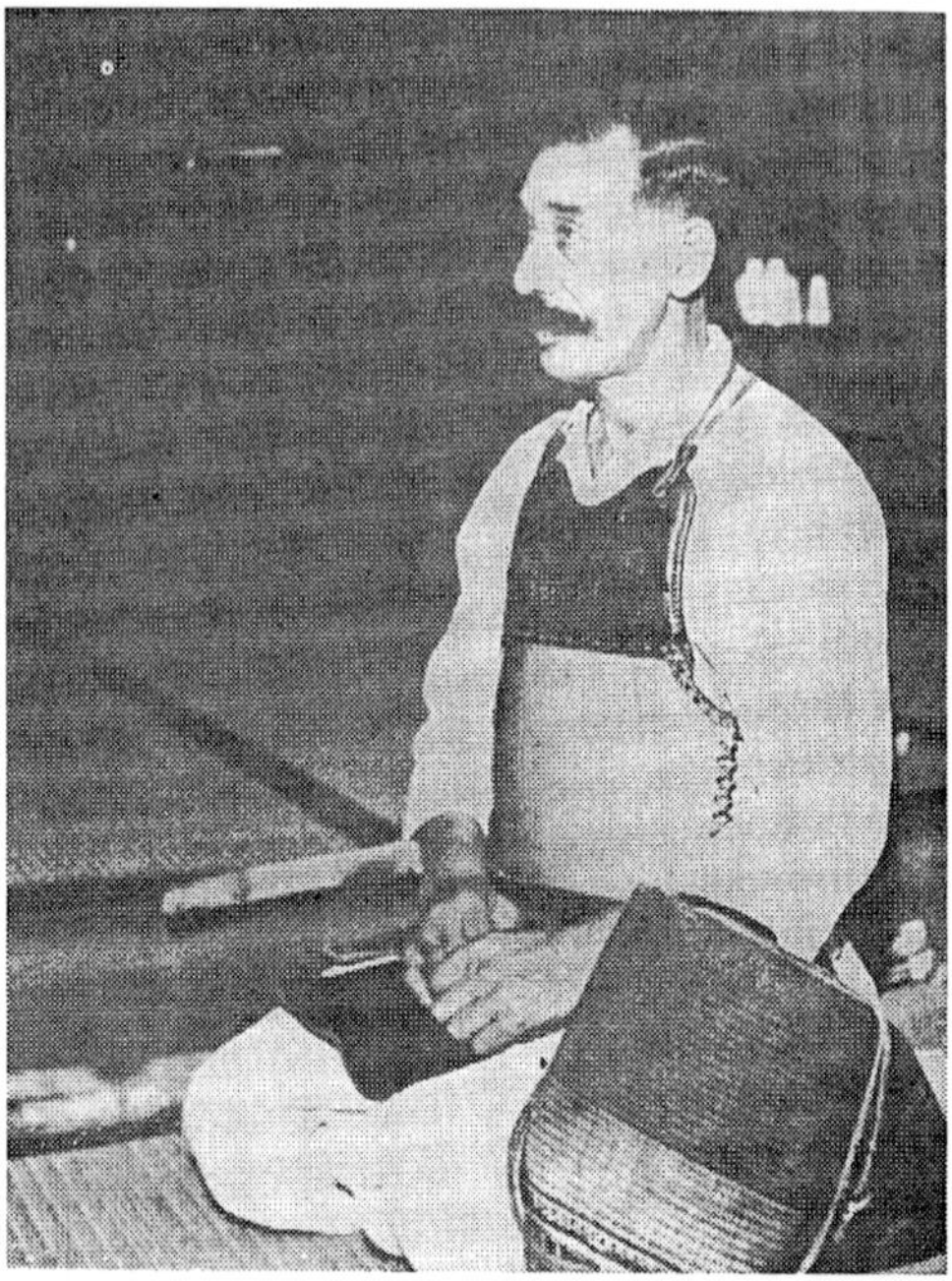

居合

中山先生は居合を行うに当っての心得について次のように語っておられる。

居合の指導に当っては先ず日本刀の説明が必要である。活人剣、殺人刀についての説明と日本刀の鍛練法。刀工がシメ縄を張りめぐらし、斎戒木浴して鍛練場に寝起きし精神を込めての神事と鍛練により初めて世界に冠絶する霊品日本刀が出来上るのである。これを操作する居合人はこのことをよく認識し、注意深く潔白な真剣な気持で充分修行しなければならない。神前の礼、恩師の礼、刀に対しての礼を心をこめて行い、それから帯刀して練習に入ることが大切である。

稽古法は横一文字、縦一文字、両斜打突、その返す刀法と一本一本を忠実に正確に扱うものである。そして略すことは絶対にやってはいけない。また仮想敵をおいての動作でなければならない。

刀の長短

刀の長短については中山先生は出来れば長いものを使用するようにと言われた。そして人それぞれ手足の長短はあろうけれども、何れにしても自分の身長から三尺を引いたものを適当とすると言われた。即ち身長が五尺五寸の人は二尺五寸の刀ということになる。この程度の刀身なら抜き付けにも納刀にも体の運用を充分大にすることで健康にも大変よく、また長刀を使用していれば短い刀はいつでも楽に抜けるが、短い刀ばかり使用していては長刀は難かしいものであると言われた。

尚更に出来るようになれば更に長い刀を使用するのは自由であり、当道場はこのお言葉に従って、この寸法を守って使用するようにしている。

竹刀の長短

中山先生の竹刀は三尺位で柄は八寸、卵型の短いものだった。それは日本刀の代用としての木刀、又その代用としての竹刀ということで日本刀とあまり変らないように作られて使用されたものと思う。（口絵、写真参照）ある時竹刀の長短について論議されたことがある。中山先生はあくまで刀剣の代用としての竹刀を尊び、柄も一尺余の三尺八寸は長過ぎると主張されたというが、残念ながらそれは通らなかったとのことである。

剣道は「斬る」から「打つ」、そして「当てっこ」となってきたのだろうが、武術は略すということは避けて、あくまでも実用でありたいものである。

昔九州の剣豪大石進先生は五尺位の竹刀を使ったというが、身長も高かったとは思うが竹刀ではなく一種の道具と見てよいだろう。これに対し高柳又七郎先生は長剣は道具だからこちらも道具で行こうと大きなツバを用いたという話もある。

身長に合った竹刀を使用するのはよいが、法外に長いものはどうかと思う。

居合の奉納

中山先生は大正五年頃、北海道に行っての帰りに山形の楯岡の林崎居合神社に詣り、夜明けから翌日の明け方まで神前に居合を一万三千二本奉納されたという。近所のおばさんにカユをたいてもらって、それをすすりながら居合を抜かれたそうだが、本数は小石を置いて勘定したと話された。

何れにしても一昼夜で一万三千本抜くというのは並大抵のことではない。先生はこれにそなえてその様な稽古をされたようだが、大変な努力だと思う。

また仙台の藩士が二名で十万何本奉納し、境内に石碑を立ててそれに書いてある。これは十何日かかっての奉納だが、これもたいした努力である。

私は昭和十三年に道場の希望者を募って十三名で山蔦範士、大村範士と同道して初めて奉納したことがあるが、その頃の林崎神社はほんの小さなお宮であった。しかし当時の宮司押切氏は熱情家で、何としても林崎神社を立派に建て直したいと涙を流して訴えておられたが、それが立派に実現されたことは本当に有難く、神の御威力の賜と感謝している。この立派な林崎神社を泉下から押切宮司はどんなに御喜びになっているかと思うと嬉しくなる。

愛用の名刀

中山先生は有信館から熱海に移られる時、槍の柄二間位のものをお持ちになり私の所に置いて行かれた。この柄は今でも道場の天井にかけて大切にしてある。

それに青竜刀一振り、新しい下駄一足、書物自筆も色々と、刀は福岡の柳川の刀工のもの一振りと肥前武蔵大椽一振り、これは先生が最後まで使われた名刀で、これを渡される時、「この刀には私の魂が入っている」と言われた。今は家宝として大切に保存してある。

剣道

中山先生から剣道では足さばきについて色々とご指導をいただいた。

戦前の気を付けの外八文字の足の姿勢から踵《かかと》を親指の線まで開くとこの様になる。これはその人の身巾である。更にそのままの足巾で左足指先に右足踵が並ぶように右足を前に進めるととなる。いつもこれを保つようにして左足踵をわずかに上げる。

右手は四本の指を揃えて竹刀を持ち、親指を軽くそえる。左手の握りも同様にして臍《へそ》より一握り離して右拳を下から突き上げるようにして握る。そして肩の力を抜き、丹田に力を持して膝から下に力を注ぐものだと話された。中山先生は神道無念流ですから昔からの教えそのものであったと思う。

中山先生はどんな方と稽古されても相手は三分間と立っていられない。呼吸があがってしまうのである。これについてどうしてそのように呼吸があがるのですかとお伺いしたところ、「それは全身に気魄が充実するのだよ」とだけでくわしくは話されなかった。

稽古

昔は稽古振りによって腕を試すことがよくあったという。中山先生のお話によると、ある時稽古代二人（二組）、受稽古者五人ずつで時間を切ってやらされたことが二度あったそうである。

その一組は中山先生で、用意ドンで始めた。そして中山先生が五人を済ませてもう一人の方を見ると、まだ二人残っていて稽古最中であったという。この様なことがあって、二度ともこの様な結果に終り、それで認められるようになったようだと先生は話された。

剣道と居合の違い

中山先生が御自分の著書の写真について反省されたことがある。日本刀の上段、中段、下段の構えと斬下しの写真があったが、その斬下しの一刀が丁度竹刀打ちの斬下しで、面金の所で止めている。これを不覚だと言われたのである。剣道と居合の違い、打つと斬るの違いで、従って手の内の違いだと言われたのである。

竹刀ならこれでよいのだが、刀の場合はこの下からが生命であって、これでは斬下しの意味がないのである。先生程の達人でもそこに気付かなかったことを、若さ故に至らなかったと悔まれて言われたのだと思う。当時の先生は剣道に全力をかけておられたためこの様な斬下しをされたのだろうが、晩年になり剣居一致の境地に入られての反省だったと思う。私も今になって斯様に先生の御気持ちをよく理解出来る様な気がするのである。円熟期とはこういうものであろうかと感じた次第である。

なぎなた

園部秀夫先生はなぎなたの名人であった。中山先生が若い頃と思うが、初めて園部先生と稽古をされた時、初めスネを二本打たれた。この時、はて……と思ったそうだ。そしてハッと思いついた。そのことを忘れていたと言われた。それからはうんとたたいたという。その忘れていたことはいったい何だったのかたずねることは出来なかった。

弓との試合

中山先生が三菱道場で弓を対手にされたことはご存知の方もあると思うが、先生は「弓の矢は切ってはいけません。竹刀か木刀で打ち落せば問題ないが、矢を切り払うと貫性の法則で矢の先が直線的に進むことをやめないから危険である」と言われた。

また神道無念流の秋山要助という達人は飛んできた矢を切ったが、矢の先が胸に刺さって亡くなられたというお話をされた。この様なことは拝聞してはじめてなるほどと合点がいくもので、秋山先生ほどの達人でもそうだったのかと、この様なことは承知しておく必要があると思う。

槍、弓について

広島におられた槍の名人について話された時、先生は「槍に立向うときは低く構えるものだ。後足膝を地に着く位に上体を前足膝の所にして構えるのです」と言われた。そして「槍はこわいものです。穂先で突いてきて、はずれるとすぐ柄でなぎ払ってくるものです」と。先生はその名人から相当に指導を受けたようである。
また弓の場合も同様に構えを低くするのだと言われた。弓については前項で述べたのでここでは略す。

無法剣の処理

これも中山先生からお聞きした話であるが、江戸の剣客井上八郎が上州でヤクザ数人とケンカになった。ところが一流の免許を得ている彼が無法に斬りかかるヤクザの太刀に対して防禦のみで一人も斬り倒すことが出来ず、ホウホウの態で逃げ去ったという。自分の剣に自信を持っていた彼は残念でならず、道場の剣は争闘には何の役にも立たないのかと一晩中考えた。そして「無法の剣に対しては双手上段で対応することだ」と勃然として悟った。

翌日、落着きを取り戻し山を降りて来たところ、昨日のヤクザ達とまた出会った。「昨日の腰抜け野郎だ、やってしまえ」とあなどりヤクザが斬り込んでくるのを、上段に構えた井上は一人を一振りの下に倒してしまった。ヤクザは次々と血煙りをたてて斬られ、たちまち三人が三振りで斬り倒された。残る数名は驚きと恐れの悲鳴を挙げて逃げ去った。「学びて思わざれば即ちくらし、思いて学ばざれば即ちあやし」まさにその通りである。

私はそれまで上段で斬り合いをしたことは聞いたことがなく、上段は真剣な大切な試合には不利なのかと感じていたが、この様に無法剣に対してはなるほどと感心した次第である。

さんさ時雨

中山先生がいつも話されていたことに〝さんさ時雨《しぐれ》〟がある。これは宮城県地方の民謡として現在も愛唱されており、御祝儀の時は必ず第一番に唄われる唄である。

さてこの唄の由来だが、伊達正宗公が奥羽を平定し、更に関東に進出して江戸近くまで兵を進めてきた時、関西を平定した秀吉公が正宗公に使者を送り、そこで政宗公は引きあげて仙台に帰った。その頃のことかと思われるが、戦いに勝って凱旋の途中で唄われたもので、唄の文句は「さんさ時雨か萱野《かやの》の雨か　音もせで来てぬれかかる　勝凱なアー」となる。秋晴れの良い天候の中を馬上で萱野を通過している折、時雨がサッと来た、その情景を唄ったものである。

日光が照っていて安心しているところに、時雨がサッと音もなく降りかかる。これは油断のならないことだと、「音もせで来てぬれかかる」というところに中山先生は感心しておられたのではないかと思う。この唄のことは先生の伝書の中にしばしば出て来るのである。秋晴れにはこのような情景があることで、さんさ時雨は私の故郷の陸前の国の国歌であるのでよく承知している唄である。

睡眠時間

中山先生は睡眠時間は四時間とればよいと言われた。睡眠時間をどの位とったらよいかは人それぞれ違うが、先生は時間を切って試してみられたようで、三時間では少し足らず四時間眠れば先ずよいと四時間に決められたと言われた。

その四時間は本当に熟睡し、この間は何も知らずに眠る。先生は俺の首を取るのはこの四時間の間だと言っておられた程である。その外の時間は学問、読書、書道などをされ、朝四時には起きて素振りをされたり書をかかれたりしたそうである。

恩師根岸信五郎先生の建碑の時など毎朝四時には机に向われて観音経を一枚ずつ書かれ、数千枚の観音経をその碑の下に埋めたお話は有名である。先生の観音経は立派なもので、先生の書は色々持っているが観音経だけはないので是非欲しかったと悔んでいる。

疲れ知らず

中山先生は「私は疲れたということを知らない」と言われた。また一日や二日は何も食べなくても大丈夫だとも言われた。

また先生は汗をかかなかった。余程のことがないと汗はかかれない方だと昔から思っていた。先生は恩師根岸信五郎先生は小手を汗でよごしたことがなかったと言われたが、その辺のことかとも思う。若い頃先生が根岸先生の小手を黙って使用して置いておくと、中山また使ったなあと小言を喰ったものだと話されたが、稽古の後、小手が汗でぬれていて一晩では乾かないので根岸先生のを一寸借りて使うということがあったのだろうと思う。

歩き方

海軍経理学校師範当時、先生は朝五時頃、書生の小西君を連れて有信館を出かけられる。そして下駄をはいて歩かれるが、別に急いでいるでもなく普通に歩いているのに小西君は遅れて離される。小走りに追いついて急いで歩くが又離される。又かけ足で追いつく。この様なことで、汗いっぱいかきかき歩くのだがどうしても遅れてしまう。先生は足が長いわけでもなく全く不思議だと話しておられた。思うに先生は無駄のない歩き方で剣道でいう〝土を踏むこと水の如し、水を踏むこと土の如し〟を実践しておられたのだろうと思う。

また一時、水道橋駅から有信館まで歩行の足の歩巾をきめて歩かれたことがあったという。それは両足の下駄を細糸で結びつけて歩くのだが、二度位糸を切ってしまわれたという。なかなか難かしいものですと言われたこともあった。

鉄棒

先生の若い時代の修行は厳しく、色々とお話をされたが先ず下駄のことから。下駄は鼻緒のゆるい大き目のものをはかれたということである。鼻緒のゆるいものをはいての歩行は不安定で困難なものだが、これが又大切なところだと言われた。

また先生は左手を強くするために常に鉄棒を持って歩いたという。左右の手はどうしても右手の使用が多いために右は自由に動き強いものだが、左手は使用量が少ないために右に比べて弱く、特に剣道の場合は左手の握りの強さが必要であるため、これを強くするためいつも鉄棒を左手に持って歩かれたと言われた。その様な修行の結果、あの大先生が出来上ったものと思う。

その鉄棒が最近どこからか出てきたとの話を聞いたが、宝物だと思った次第である。

無謀の士

ある時、多分京都大会と記憶しているが、中山先生が若い頃で先輩の先生にご挨拶をした時のこと、丁寧に両手をついて深々と頭を下げた瞬間、相手の先生が思い切ってゲンコツで中山先生の深く下げた頭をなぐりつけたからたまらない。中山先生はムッとしたが、さすが先生、ハ、アーここだなと察して我慢され、平静にかえって何気なしにいると、その先生いわく、「たしかに手ごたえはあった」と。中山先生は、人をなぐっておいて、たしかに手ごたえがあったもないもんだとお話になられたこともあった。昔は色々な人が居られたことに驚いた次第である。

柔術

中山先生は金沢で生まれて富山市で育った。六歳の頃病気をして一夏綿入れを着て過したことがある。それから十三歳頃までは家に隠れて柔術を習った。父母は昔風の人で柔術をやらせなかったが先生は好きで六年位柔術を習った。兄達は剣術をやっていて父もやったとのことである。

その頃の柔術は今の柔道と違って稽古は形をやったり逆と当身、又は締めばかりであった。道場は四十数畳位であった。兄弟子達は目録をもらうと必ず活殺法を許され、それを試すため先生はよく隅の方に引っぱって行かれ、幾度も〳〵締め殺して生かす稽古代にされたという。

そして十六歳の時、逆を取られて腕を折られた。困って夕食の時片方の手で食べていると、母は知っていたようだがどうしたのかと質《ただ》され大目玉を喰った。そして医者に通ったが、その医者は永井伝八という整復術の上手な人だった。

先生が習った老柔術師は白髪の老人で、正座をしていて大の男が思い切って水月を何遍もけるのを平然としているような人だった。次いで息子さんが替って正座してけられるとビクッ〳〵と体をすくめていたという。

話は変るが私の師匠清瀬川関が若い頃柔道をやって相当に強かった由にて、昔のことだから金がなくなるとよく相撲稽古後、柔道の道場があると〝頼もう〟と玄関に立ったものだそうで、よく小遣いをもらって一杯呑むということがあったそうだ。

私が十両の時富山に行ったら永井という柔道の先生が道場を開いているから逢ってみろといわれて探して行ったことがある。永井先生から大変歓待を受けて色々のお話を聞かされたが、永井伝八というのはここの先々代頃の先生らしい。

中山先生はその後剣術を習うようになったが、富山藩の斎藤理則師について学んだとのことである。この先生は山口一刀流の有名な先生で、ここで十九歳まで習われた。そして父の許しを得て上京し、神田お玉ケ池の磯先生の柔術の道場に通って修行し、後根岸信五郎先生に師事するようになった。先生が上京したのは明治二十三年、憲法発布式の時で、その翌年十月には濃尾地震があったと先生からお聞きした。

手術

中山先生は体に医者からメスを入れられたことが三度ある。

若い頃、剣道修行で諸国を巡っていて宇都宮市に行かれた折、喉を破れた竹刀で突かれた。手拭で出血を抑えて病院に行かれたが、一時間以上もかかってやっと手術は終ったもののさっぱり状態が良くならないので帰京され、お茶の水の順天堂に入院、名医佐藤進先生に再手術をしていただいた。佐藤先生は右手で切って左手で縫合するという自由自在の外科の大家で、手術は四十分足らずで終り、恢復された。先生の首が見えるか見えない位に一寸かしがっていたのはその時の傷のためだと聞かされたものである。とにかくその頃の他流試合というのはとても厳しいものであったという。

有信館に於ても他流の者等来るものなら、それこそひどい目に遭ったものだと先輩からよく聞かされたものである。また稽古が終って、アー今日も戸板に乗らなくてよかった、ホッとした先輩の先生方がよく話されていた。

中山先生はまた盲腸でも手術を受けておられる。

両大家の相撲見物

中山先生が拙宅に宿泊中、小便が出なくなり困難したことがある。

二泊位されてから私に小便が一昼夜も経つが出ないと話された。そこで私は医者にお連れすることにして翌朝そのつもりでいると、今日は好い取組があるので相撲が見たいと言い出された。丁度その日は「大相撲春場所」

の栃錦と吉葉山の好取組があった。私は先生のお体が心配になり大丈夫ですかと聞くと大丈夫だとのことで、突然のことだったが相撲場にご案内した。

以前は協会に直接お願いして土俵際の砂かぶりをもらって先生をご案内していたのだが、今日の今日なので取りあえずご案内して、お茶屋の和歌島に頼んだところ、今日は合気道の植芝先生お一人の三角マスがあるが、この席でかまわぬならということで、それは結構と早速お願いした。

中山先生と植芝先生はお知り合いの間柄であることは色々なことから私はよく知っていたからです。また私も和歌島さんを通して合気道に通って少しはその道をかじり、植芝先生とは師弟の間柄でもあったからである。

この時、私は後で気がついたことだが、中山先生と植芝先生が並んで大相撲見物をするなど非常に珍しいことで、ぜひお二人の写真を撮っておけばよかったと後悔したものである。

植芝先生が後で私に、中山先生は大変お年を取られたね、靴もはけなくて私がはかせてあげたと申されたので、実はこうこうですと中山先生が小便が出なくてご苦労されていることをご説明した。

先生の我慢強さには全く驚くより外なく、相撲場より早速医者にご案内しようとしたところ暗くなっていたため明日でよいと言われる。そこで翌朝すぐに坂口病院にご案内したら洗面器に小一杯の小便が出て本当に驚いた次第であった。そのことを林晃さんにお話ししたら、それでは伊藤京逸先生にご相談したらということになり、早速お茶の水の三楽病院に入院されたのである。先生の我慢強さには全く驚き入ったものである。

重患

先生は若い頃肋膜を患い、これが重患であった。医者からも注意があり、夫婦別居生活も相当長く続いた様で、その頃のお話をお聞きしたことがあった。

渡辺子爵の生地長崎県大村湾に子爵の別荘があり、そこは海岸で松林の土地で空気もよく病には適当の養生地で、療養のため長い間そこで養生したそうである。先生は、どうせ死ぬのならうんと居合を修行して死のうと決意し、一生懸命やられたという。後で先生は、私の居合はあそこで出来たのですよと言われたくらいである。

またこんな面白い話もあったそうである。ある時、夏の暑い日だったそうで、渡辺子爵と共に散歩に出かけられた時のこと、渡辺子爵は中山先生に「ワレ草履をふんで来い」といわれたので先生は草履を踏んで行かれた。しばらく行くと、中山先生が暑い最中で道路の石が焼けて熱くて困難している様を見た子爵「ワレなんで草履ばふんで来なんだ。フメとは、はいて来いということだ」と笑われたという。中山先生はフムという意味がわからず、草履をふんでハダシで歩いたため焼石の上で困難したわけである。先生は早速戻って草履をはいて来たそうである。渡辺子爵は「フムとは土地の言葉たい」と大笑いされたとのことである。

黙然和尚

中山先生は剣を修める一方禅的修行にも専念された。従って色々と方々の禅の和尚さんとお付き合いがあったようだが、特に日置黙然和尚とは深い関係であったようだ。

博道という名前も黙然和尚から頂いたものだそうだ。その時のお話を伺ったが、黙然和尚が白道とされたのを中山先生は白を博とご自分で直されたという。多分先生は博はひろめるとも読めるので博に直させて下さいとでもいわれたと思うが、その時黙然和尚は、お前は俗人だからなあといわれてそのまま博道になったのだそうだ。しかし中山先生は終戦後、これを悔んで「白道にしておけばよかった」と話されていた。その時、どうしてですかとたずねようと思ったが、すぐ感じたことは、白いということは無ということで、博はひろめるでどちらも大切なことだが、先生は晩年になって色々とお考えになった末のお言葉かと推察した次第である。

中山先生は黙然さんから数珠を頂いて大切にしておられたが、ある時私の所に居られて外出されたことがあり、この数珠を紛失してしまわれた。大変残念がって、「惜しい。あれは黙然さんから頂いたものだ」とお探しになっておられたが、とうとう出て来なかった。

相伝

ある時中山先生が巻物を持って来られて四、五日預ったことがある。それは「夢想神伝流相伝」と書かれた巻物で、開いてみると漢文のあまり上手な書でなく、頭書に「夫居合之為法大幸也……」、そして初代林崎甚助重信より代々の宗家を連ねて最後に十七代細川義昌先生の名が下位にあって、上位に中山博道殿と記されてあったと記憶している。

色々事情もあったが、持って行くとのことで先生がお持ちになった。そして先生は白内障の手術のため東京を離れ、一年八カ月ののち帰京されたのである。相伝の在所は承知しており何れそのうち直るものと信じている。

酒

中山先生は御酒は好きだった。私の所に来られると必ず食膳に御酒をつけたが、一本だけで御飯を召し上る。しかし飲まれる時は底がない程飲まれる。その様な時のことを、酒は飲んでも飲まれるなというように上から飲んだら途中で消してしまうんだと言われたことがあった。それも時によると思うが、いくら飲んでも水と化してしまうのだという。感じる所ありである。

師弟愛

終戦後、戦犯の裁判が行われたが、その時、中山先生にも戦犯の一人として横浜裁判所から呼び出しがあった。昭和何年だったか記憶していないが暑い夏だった。これは大変なことになったと心配していたが、幸いなことに無事終ったのでホッとした。

その日、丁度先生が杖をついて横浜裁判所に着いた時、裁判所の職員に門人がいて、その人が先生を見つけて側に寄って来て、先生どうして来られたんですかと尋ねられた。そこで先生はこれこれの呼び出しがあったので参ったと言われると、その人は一寸お待ち下さいといって先生の弁護をなさったということです。またその時先生は、日本の剣道の立派で正当なことをご説明され理解を得たのだそうです。「それで無事終ったので助かった。この様なこともあったのです」と先生は話された。

肥大漢

中山先生は秋田の児玉さんの事をよく話された。この人は地方の大地主で体重三十数貫、よく剣道を好み、屋敷内に道場を設けて地方人を指導した立派な方であった。有信館建設の時には山から木材を運び協力された。道場の床板（四寸角）等はその木材を使用したと聞いている。

この方と東京市長をされた西久保弘道さんは肥大漢で力士の様だった由。この両人と稽古する時、面を打ってすぐ体当りで来るのを先生は弓なりになって受け止めると話された。私はどうして体をかわさないのですかとお

熊本の異説武蔵の墓前にて。前列左から斎村五郎，中山博道，持田盛二の各先生

聞きすると、かわせば飛んでいって稽古にならないからとおっしゃった。

ある時先生が秋田に行って児玉さんを尋ねられた時のこと、一泊していると児玉さんが四斗俵三俵を背負って二俵を下駄のように両足にはき、二俵を両手に提げて合計七俵を持って歩いて来たのには驚かれたという。またある時児玉さんは講道館へ出かけて行ったが相手になるものがおらず五段を授かったとも話しておられた。

現代の帯刀姿

ある時有信館に行ったところ、小西さん（書生）が袴の股立をとり、わらじばきで刀を腰にして門前を右往左往していた。あれっと思いながら〃おはようございます〃と挨拶をして、今日はどうしたのですかと問い質すと、今日はこれこれで、従って稽古は休みとのこと。道場で秘密の行事がある時はこの様ないかめしいことがあるのを知った。斯様なことが行われているとは見たことも聞いたこともなく驚き入った次第である。

美　男

私は中山先生は本当に美男子だとしばしば思った。すじの通った鼻、優しい目、何とも言えぬ唇の良さ、それにあの八の字ヒゲと、お顔は誠に整っていた。それに加えて剣の名人ときては、女性にももてたことと思う。

ある時中山先生に、先生は女性にもてたでしょうねと申上げると、「私も男だから女性は好きです。しかしそういう時は体をかわすのですよ」と言われた。清廉潔白、真の武人の様な謹厳そのものの先生だったので、なるほどなあと感心したが、これはなかなかできることではない。

居合の違い

有信館落成式の時の中山先生の居合は本当に素晴しく、これでは斬られるなあと思ったと故増田真助先生が話しておられたが、宮内省済寧館のある年の鏡開きの時、毎年中山先生が居合を抜かれるが、その年は橋本統陽先生にお願いすることになり、皆そのつもりでいた。ところがそれを耳にした中山先生は御機嫌ななめとなり、先ず橋本先生が居合を抜き終ると直ぐ御自分も居合を抜かれて試斬りをされた。その時、橋本先生と中山先生の居合はこうも違うものかなあと驚かれたとは中島五郎蔵先生の言葉である。戦前の居合道範士は中山先生と橋本先生の二人だけだったが、その御二人でさえこうも違うのですから大変なものです。

荒稽古

ある時中山先生は満州からの帰途、朝鮮咸興に立寄られたことがある。朝鮮の剣道家はこれは又とない好機と全鮮から十七名の優秀な先生方が咸興に集まりお迎えした。

その時、先生は御老齢でもあり、満州から夜行で来られてお疲れでしょうから道具を着けないで御覧になっていて下さいと申入れたところ、先生は御機嫌ななめとなり、両ヒゲをひねりながら道具を着けて稽古を始められたという。

この時の稽古は決して受けないで、打込んで来るのをかわして流れるところをカマかけて引倒して壁にぶっつけ、又来るところ同様にしてこれを繰り返したので、十七人はたちまちのうちに息が上り突き倒された。最後に羽賀準一先生がかかったが、やはり同じようにあしらわれ、散々な目にあって切り返しで終った。この話は同行の宇野先生から聞いたものである。

私は北海道の居合道講習会に続けて二十二年間出かけているが、ある時、名前は忘れたが、この咸興に於て中山先生に稽古をいただいた十七人の内の一人がおり、この話を聞き、ああその話は宇野先生から聞いています、あなたはその内の一人だったのですかと話合ったことがある。

中山先生は本当に気合が入ると受けずに身をかわして、流れるところを押したり引いたりで壁にぶつけるというやり方だったという。また私が福島県飯野町に講習会で行った時、土地の人から聞いた話だが、この地には今でも幕末の道場があるが、中山先生がここに来られた時、神社の境内で高校生を一度に四人位かかって来らせて、体をかわしてたちまち四人を打ちすえてしまったそうだ。とにかく強かったのです。人をほめたことのない羽賀準一君が「中山先生は剣道は神様だった」と評しているくらいである。

修業の深さ

中山先生は初め渋沢栄一翁の居合を拝見し、これは習わねばと決意して板垣退助伯に連れられて土佐に渡り修行した。

当時は明治の廃刀令から平和時代となって日本刀の必要性はなくなり、従って居合道もすたれる空白時代が続いた。そこで止むを得ないことながら居合の技にも多少違ったこともあり得るわけで、中山先生も土佐で習ったそのままの居合のうち斬付けから振りかぶる時、刀を背負ところがあった。そしてその背負った刀でかかとを刺したこともあったと話されたことがある。それから背負刀は不合理として、だんだん振りかぶった刀は水平より剣先を下げないと変ったのである。

なお上段には天上段というのもあると言われた。長い間の居合、剣道、杖道のご研究の中には色々と体理、剣理に疑問が出て来て、それを理想的、合理的に直されたものがあることに気付くのである。

剣聖宮本武蔵先生にしても三十数回真剣勝負をして一度もおくれをとったことがないというのは三十歳前であったという。それからたゆまず修行を続けてご自分で悟られたのは五十歳になってからだという。修行というものはいかに深く遠いものであるかと思う次第である。

序

神話の物語りは別として、剣道が技術的に研究されだしたのは戦国時代であるとされている。居合道における夢想神伝流もまた戦国時代林崎甚助重信を始祖として発達し、今日まで連綿相承されているのである。

居合道は単に剣の技術のみを主眼とするものではなく、剣の技術と人格が総合されて始めてその真価を発揮するものであって、日本民族にして始めて理解される武道の一である。

著者は夢想神伝流の流統を継いだ中山博道氏に師事し、刻苦精励同流の根本義を把握し、今日においては斯界に令名高き人である。絶えず斯道発達のため努力せられその功績たるや実に大きい。本書においては夢想神伝流居合の発生より説き起し、その流統を明らかにした上、本流居合道の精神を説き、作法、技術につき懇切なる解説を加うる等苟くも居合道に志す者の参考に資すべき点少くないのみならず、本居合道を通じ一般世人を啓発するところ頗る大なるものありと信じ、ここに本書を推薦する次第である。

昭和五十六年　三月

㈶全日本剣道連盟
名誉会長　木村篤太郎

序

著者は今や居合道の最高峰に位する権威者である。この度、旧著「居合道教本」に改訂を加えて、新版「居合道」を出版されることになった。旧著後全日本剣道連盟の制定居合に改正があったのを取り上げたうえ、思いを新たにして奥居合中の奥居合ともいうべき組太刀の解説を写真入りで加え、更に恩師中山博道先生の直話に基く教えと逸話を公開されることとなった。中山博道先生は居合道だけでなく、剣道、杖道その他で一世を風靡された方で、私も東京大学在学中直接ご指導を受けた関係があり、著者とは同門系に属し、心から親しみを感じる。

新著はページ数も大巾に増え、居合道愛好者の座右の書として名実ともに裨益するところが大きい。愛好者は本著に依って更に居合道の醍醐味に別け入って研鑽に努めて頂きたい。

以上の次第であって、ここに本書を推薦する。

昭和六十三年　九月

㈶全日本剣道連盟会長　大島　功

自序

戦後剣道は一時中絶したかの感さえあったが、昨今の剣道熱は、すばらしいもので之れが国内ばかりでなく海外にまで発展して居ることは誠に喜ばしいことである。これと共に居合道も亦近年目覚ましい復興ぶりで全国各地に、戦前に類を見ぬ、発展を見つつあることは、是また欣喜慶賀に堪えない次第である。

然しながら戦後急激な発展の結果として、同じ流儀でありながら居合そのもののかたちに於て、将又、気分的に聊、か、くずれ来ている感あることは、止む得ぬことかも知れない。

中には何を目標にしているのか見当のつかぬものさえある状態であって、折角繁栄途上にあるものを、このまま放置することは、居合道の為、寔に寒心に堪えないものがある偶々所々、方々からの要望もあり、ここに当流の本筋を書き参考に供すべく、筆を執ることにしたものの元来、私は非才に加えて、文学を解せぬために、この重大な仕事を果すことの難事である事は勿論であるが、恩師中山博道先生の最も技能の円熟した斯道の真に髄に徹された、その時代において長く御熱心な御指導を受け、八十九歳の御高齢を以って御他界になるまでの間、拙宅に御寄寓になられ、又、病院生活中も種々、心、気、意を以て懇ろに御教示下さった、これらのことをそのまま書き連ねて居合道教本（夢想神伝流居合）本筋の軌範の書としたのである。

居合道教本作成にあたって

中山先生が居合を始められたのは二十歳代からで、その後の修行によって段々上達するに従って体理、剣理に変動があったことは当然のことで、三十代、四十代、五十代と変って行って六十代には出来上った完成の域に達せられたように思われる。幸いにして私は先生六十代の門人であり、青森の宇野先生と共に朝に夕に有信館に通ったのを本当によかったと思っている。

この教本を書くにあたっても中山先生から教授いただいたそのままを書いて各先輩、東京の鶴岡先生、武藤先生、大村先生、神奈川の山蔦先生、福岡の末次先生、長崎の寺井先生等に原稿を見ていただいてご承認を得て確信をもって作成したものである。相撲協会年寄時代、九州場所にて末次先生に引廻されて福岡県下は勿論のこと大分の別府温泉につかりながら神伝流の正統を伝えるものを是非作るよう依頼されて教本の作成に取りかかった次第である。

右の通り中山博道先生の高弟である先輩の諸先生方のご承認を得ての教本であり、自信を持っているもので、正当のものであることを一言申上げておきたい。

研修館

昭和三十一年、全日本剣道連盟に居合道部が設けられた。その頃剣道はすでに組織化されて数年を経過し活躍していたが、居合はこの頃全日本居合道連盟なるものが組織され、大阪の河野百錬氏が会長となり全国的に旧居合人を募集していた。私の所には大阪の伊藤博園氏から盛んに長距離電話で勧誘してきていたが、私達はすでに有信会居合道連盟を組織していて盛んに練習中であったので幾度も誘いを断っていた。そうこうするうちに全剣連が居合道を取り入れたので我々有信館居合道人はこぞって全剣連に加入して今日に至っているのであって、最初から全居連の味は知らなかったのである。関西を主とした大部分の大家も全居連から転向された方が多い。

私はまだ全剣連に居合が取り入れられる以前から写真のように水道橋に道場を設けて、有信会の皆様に呼びか

中山先生を迎えて行われた有信居合道大会
（昭和30年秋水道橋道場にて）

け、鶴岡、山蔦、林、瀬上、大村、野村、羽賀、中島、高須の諸先生方と稽古を初めており、第一回有信会居合道大会を開催して中山先生をお招きし、一同先生から段位を授与される等していたのである。

次いで昭和三十二年、道場を自宅庭内に建設し、「研修館」と命名して本格的に看板をかかげることになり、だんだん門人も増えてきた。さらに昭和四十二年、居合・剣道・杖道・相撲の道場を建設し今日に至っている。

昭和六十三年四月

大日本居合道研修会長
研修館長
剣道教士七段
居合道範士九段
杖道教士七段

檀崎友彰 識

目 次

目次

林崎大明神

林崎大明神は今を去ること約千二百年の昔、大同年間中、坂上田村麿が蝦夷平定の祈願所にして、素盞嗚尊を祭り奉り武神として遠近共に御神徳を仰がる、「林崎居合大明神略縁起」によれば、大同二年九月十九日平城天皇の御代、当時石城岳（甑岳）大明神沢に近傍多くの住民が、燃ゆる信仰、観念の象徴として、熊野権現を創設し奉った。これが当神社の抑々の草創であるとある。明治六年居合神社称号となり、村社に列し、林多少神官となる。同十年熊野神社と合祀さる。

御社再建は私の長年の念願であった所、今春漸く完成を見た事は誠に御同慶に堪えず、同志と協力し金弐拾六万弐千四百円を奉納して再建の一端に奉ず。

林崎甚助先生の生立ち

足利家瓦解の犠牲となって、名誉ある職務から馘首され、浪々の立場を諸国漫遊に旅情を慰むる一人の若い武士、名を浅野数馬重治と言い、有識故実に通じ、（その父北面武士とある）鏘々たる若武者、自適幾ケ月かの後、遂に杖を出羽国に曳いて来た。出羽楯岡城主最上豊前守は、これを耳にし好奇心や新知識の憧憬やらの気持から、将軍家の膝下で鍛えたという。

この白面武士を招いて、一日快談を交した。肝胆相照らしたものか、意気投合でもしたのか場面は急転して、浅野は最上豊前守の下で知行二百石で腰をすえることに決定した。時に天文七年秋の半ばの事である。浅野は年正に三十であった。

この頃豊前守の宗家、山形城主最上義守も御多分に洩れず、貴族生活の満足の為に坂上主膳なるものを作方専任として雇っていた。坂上主膳という武士は、元周防国大内家に亡父の代迄世々精勤していたが、或る事情は、尾張桑名長島にて武術の師範たらしめしも、故あって遁走隠世の立場にある者である。偶々義守公が最上の先祖、兼頼公の三百年忌の法要を執行することとなった。この法要執行の相談役を浅野と坂上に申付けて、遺漏のないように、万端の合議を委託した。端なくも法要に関する事に付いて浅野と坂上との対立が表面化して来た。義守公は両者の提言を聞き断乎として坂上の改造論を斥け、浅野の唱えた保守的方法を是として採用して了った。これより浅野、坂上との対立意識と反感とで増々両者の感情を尖鋭化した。

話は前に戻るが楯岡在の高官間平の娘、萱野（二〇）、山形霞城の奥に姫君の側女として、真紅に咲いた美人の典型、加うるに諸芸一般の教養もあるというので、若い青年武士を如何に悩殺させたであろう。坂上も熱烈に恋慕する一人として機会あるごとに、能動的な行動を惜しまなかったのだが、そのうちに彼女は、父母の膝下に帰ってしまったのである。恋の清算である。

天文九年の末つかた、人あって浅野と萱野と月下氷人となり、日ならずして目出度く同穴の契りを幾久しく誓うに至った。浅野三十有二、菅野二十有二、斯くして夢まとらかな紅閨の裏に悲しき物語りの雷管が首を擡げたのである。

天文十一年正月、浅野夫婦一男を儲けた。名づけて民治丸と云う。これが即ち元服後の林崎甚助重信先生である。

坂上の浅野に対する羨望、嫉妬、優越への反感が憤怒に変って、遂に爆発する日が来た。天文十六年、浅野の生命は永遠に彼の肉体から離別して終った。坂上によって暗殺されたのであった。

武祖伝によれば、浅野が林崎明神の祠官宅にて、碁を遊びての帰途、暗夜に襲撃され落命せりと云う。民治丸も六才、この純真な幼児に不具戴天の重荷を負担せしめるとは、余りに悲壮な物語りではないか。

斯くして世は弘治に遷って二年、その後、林崎明神の社前に額いて、熱心に祈願する二人の可憐なそして崇高な姿を見る様になった。勿論菅野母子である。「神」は決して理論の対象となるべき筋合のものではない。至誠、至純の極致は是れ皆神性の示現である。

母子祈願百ケ日、満願の夜、社前に仮睡にまどろむ民治丸が、林崎明神の夢枕神（白髪の老人現れ千変万化の刀法を見せらる）に長柄の利ある伝授されたのである。翻然自悟して遂に絶妙に達せしむるに至らしめたのである。

想へ、可憐の母子の歓喜と凱歌を、永禄二年吉日を選んで元服し、名を林崎甚助重信と改め、父の仇を尋ねて住み馴れた故郷に母を残して旅立つことになった。彼の門出を泣いてはならぬ、仇、若しならずんば死すとも帰らぬ、雄々しくも悲壮なる門出よ、彼正に十有八！ 永禄二年のことであった。

本懐

永禄四年彼正に二十才。剣勢愈々円熟の域に進み、既に仇敵を呑む慨があった。この年に彼は、首尾能く坂上主膳の肉体へ無念の刃を刺し通すことが出来た。亡父が屈辱を与えられてから、恰も十四年、その間、神に念じ天を拝して、武人の子として至醇な苦心を重ねたが、その貴い報酬が実現されたのである。坂上は、山城の国紀伊郡淀の在、小倉村に櫓山大膳と改め居たと、又一説には、丹波街道で仇敵を打取るともあり、何れが真実かは不明である。

林崎重信の半生は実に孝道擁護の典型であった。幾多苦難の末宿敵坂上に復讐し、喜び勇み郷里に残した母親に想をはせ、朗らかにひたすら道を急いだ。信州追分から越後路に進み、善光寺の阿弥陀如来に手を合せ、村上を過ぎ愈々出羽の国に足を入れた。

悠暢変らぬ最上川、雄大な秀峯甑岳、三とせの離別に過ぎないあの山も、この川も、皆発溂とした彼の新生面を祝福する天使である、早や天童を越えて楯岡に至れば、彼の知己友人等は赫々たる武勲を前に、総ゆる賞讃と歓待とを惜しまなかったろう。斯くして林崎村へ――おお、我を育くしみ林崎村よ、慈母の住む我が茅屋よ、彼は今、凱旋の第一歩を踏みしめたのだ。見よ！ 歓喜の胸をふるわせつつ両手を広げて迎へ出た彼の母を。勝ったのだ、勝ったのだ。

如何に圧倒せられても、正義は必ず最後の勝利であらねばならぬ。何んの虚構もない敬慕と慕愛との赤裸々な接触は涙の融合であり、感激の極致である。相擁して如何に歓喜と勝利の涙に咽んだであったろう。逝しき父の霊魂も、屈辱の遺恨から初めて逃れ、晴々しい伸張の雄叫びを唱えたであったろう。相携えて、林崎明神に御礼報告をなし、仇、坂上の肉体を通した誉れの業物、林崎家伝来の宝刀信国を、謹んで奉納し、斯くて母子の幸福な、世に、無常転変と言う言葉がある。

幸福感の絶頂から、一朝転落して悲惨な涙で濡れることは、宇宙に漲る無音にして厳粛なる法則として避けることが出来ない、これを宿命と名付けるのだ。幸福な生活に入った林崎母子も、遂にこの法則の犠牲となるに至った。即ち母菅野の緊張が弛んだのが動機となって、先ず床に臥し、これが到々黄泉の客として久遠の彼方へ旅立たせて了ったのである。

今や彼は普天の下に唯一人の捨小舟となって終った。未だ二十才の青年である。彼の感慨は果してどうであったろう。併し彼は泣かなかった。彼には林崎明神が彼の生涯の友人なのである。

彼は飄然故郷を捨てて、只剣を友として寂莫の慰藉を求め、果てない行脚に出ることになったのである。

千早振る神の勲功我受けて
　万代までも伝え残さむ
書きおくぞ筐にのこしし筆の跡

我れは何れの士になるとも

この和歌は彼が飄然剣の行脚を指して、故郷を去るに際して遺したもので、現在林崎明神の額となって奉納されている。

宝　剣

信国の名刀は林崎重信先生が仇敵坂上主膳を復讐するに際し使用した林崎家伝来の宝刀、足利将軍家より賜ったものと言う。永禄五年復讐報告参詣の折、彼によって奉納されたもの、後明治年間、宮司某が楯岡町、沢口又蔵なるものに金八拾円にて売却せしが、以後、一介の骨董品として取扱われ、転々古物商の手を経て目下その所在は明らかにされていない。柄八寸、長さ三尺二寸、装飾なし、在銘信国、鞘黒塗中央に少し刀こぼれあり。

夢想神伝流系統

初　代　林崎甚助重信
二　代　田宮平兵衛業正
三　代　長野無楽入道槿露
四　代　百々軍兵衛光重
五　代　蟻川正左衛門宗続
六　代　万野団右衛門信定

七代　長谷川主税之助英信

八代　荒井兵作信定

九代　林六太夫守政

十代　林安太夫政詡

十二代　松吉八左衛門久盛

十三代　山川久蔵幸雄

十四代　坪内清助長順

十五代　下村茂市定政

十六代　島村右馬之亟義郷

十七代　細川善馬義昌

十八代　中山博道

流祖と恩師

林崎夢想剣居合は、始祖林崎甚助重信先生に発し、幾代を経て今日に至っている。此の間名人として知られた長谷川英信先生は、居合道中興の祖として土佐に広め現在に至っている事は武道史に燦としてかがやいている。恩師中山博道先生は二十歳の頃、渋沢栄一先生の居合を拝見して、是非居合道を修業したいと決意し土佐の名士板垣退助伯に願って土佐に同行し、板垣伯邸に通う事十有余日とか。

其の間板垣先生居合の居の字も口にしないので、中山先生全く痺をきらしたと。然し忍耐強く通い続けるに、或る日、「中山、今日は居合を教授するよ」といわれた。先生大いに喜び、紹介されたのは細川義昌先生であったと、後で細川先生曰く「板垣は居合を知らないのだよ」と、そこで長日間指導を受けた後、大正五年細川先生より夢想神伝流十六代を相伝されたのである。拝見した伝書は漢文の巻物一巻、甚だ難解であったが、後解説を得た。

先生五十七、八歳の頃、林崎神社に参籠居合一昼夜に一万三千二本奉納された事は有名な話しである。昭和五年頃と聞く。その後、六十代は全く油の乗り切った円熟期であった。私は幸い先生六十代の門人で、出征する昭和十九年は七十二歳であったと記憶する。此の間先生の実技指導を受けた。当時、有信館には居合専門に修行する運甓会があり、故吉川英治氏、故磯野学伸氏、故宇野愿城氏、故野口駿尾氏、故加藤雄重氏、当道場の幹事長であった故土居禎夫氏、永井省三氏、田中如童氏の諸先生があり、右の各氏と共に中山博道先生の熱意熱心と神技に類する、その技能に傾倒心酔して修行錬磨した。此の頃の修業は甚だ厳しいものであったように記憶する。殊に宇野先生は誠に熱心な修行者で、毎月青森の遠地より七日から十日間は有信館に来場修行これを永く続けた人である。厳寒凍結の季に入ると稽古衣の上に外套を引っかけて早朝道場に書生を起し、開門を迫って一人で稽古に励む。そこへ先生出場され、手を取って御教授頂く事幾度かであった。終戦後は陋屋をもお厭ひなく、私の偶居に屢々御逗留下さって親しく御懇切に御指導賜った。当時解せない事は手帳に控えおいたが、段々精進するに従って解することを得た。その時の嬉しさは又格別であった。先生は常に仰せられた「君は力士修行中に鍛錬が出来ているから、呑み込み、納得が早くて良い」と、自からは一向に出来ず夢中で過すの感であった。然し伝統の居合道を伝授された責任を感じ、これを正しく確実に守り、聊かもくずすことなく一層精励し、以って居合道指導普及に努め、御恩の万一にも酬いたい存念である。大日本居合道研修会は、中山博道先生の研修されていられたものを先生の御内意により不肖私がやらせて頂いているもので故鶴岡先生、山蔦先生、大村先生の御熱心なる御協力により日増しに隆成に向いつつあることは誠に幸甚に堪えず、右先生方に対し深甚の謝意を表する次第である。

　尚、付け加えておきたいことは明治・大正の頃は居合衰退時代で殆んど行われていなかった。その頃、中山博道先生は孤軍奮闘大いに活躍、武徳会に居合を取り入れ、細々乍らその生命を保って来たのである。従って戦前の居合称号受領者は誠に僅少ほんのかぞえる程の人数でしかなかった事は事実である。今日この隆盛を得るに至った事は中山先生の多大なる御努力の賜と申し上げて過言でないと信じて疑わないのである。

霊器日本刀

古来より剣を愛好し日本刀に親しむことは我が民族の特性である。この日本刀こそ、折れず曲らず、さわれば必ず切断するの我国の重宝であり霊器である。

この日本刀は容易に出来たものでなく、その鍛錬法こそ文字通りのもので刀工が、斉戒沐浴し、〆縄を張りめぐらし、刀工場に起臥し横に、たてにと焼いては練り、練っては鍛え、之を繰返し〱全精神力を傾注して鍛錬すればこそ世界に冠絶する霊器として出来上るものである。斯様にして出来上った日本刀こそ厳として冒すべからざる霊器である。この霊魂のこもった日本刀は決して人を斬るものではなく、即ち活人剣であり、殺人刀である。

前者は人を斬るものに非ず己を斬るものである。即ち己の邪心を斬って正心となす。後者は己に危害を加えるものに対し、自衛のために立向う正義の剣であり征服の剣ではない。

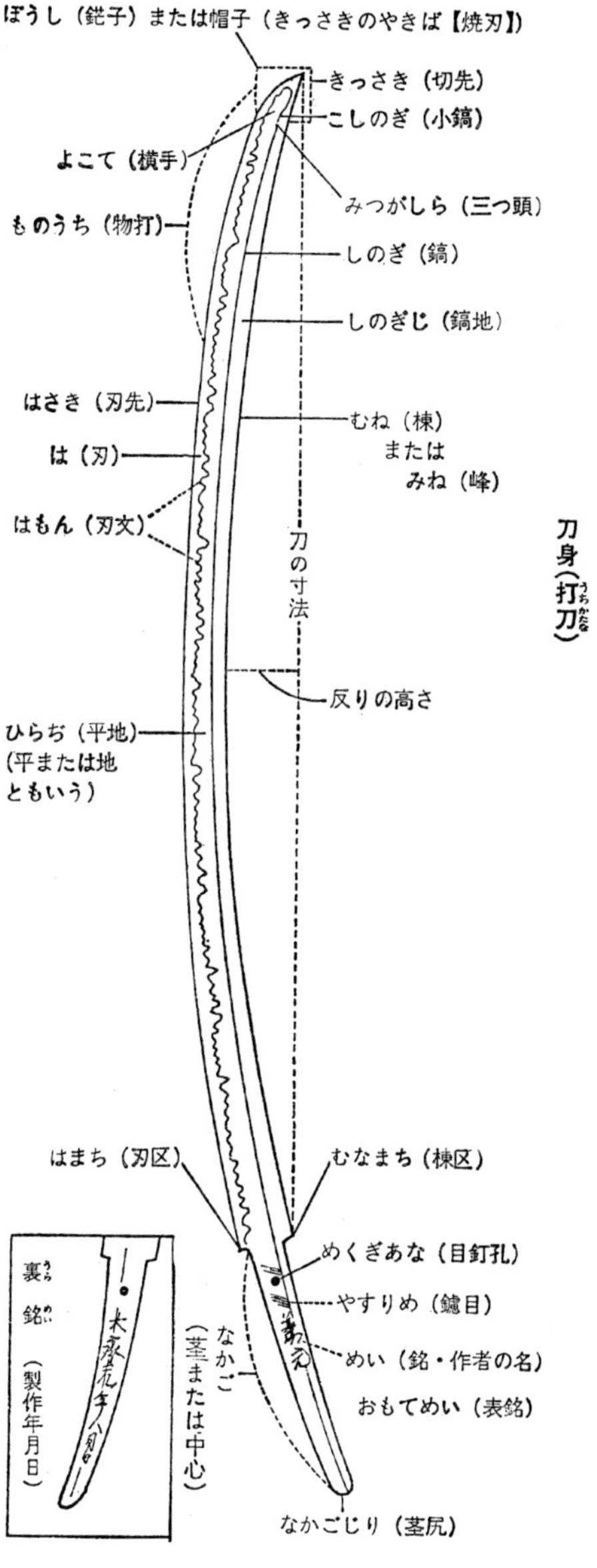
ぼうし（鋩子）または帽子（きっさきのやきば【焼刃】）
きっさき（切先）
こしのぎ（小鎬）
よこて（横手）
みつがしら（三つ頭）
ものうち（物打）
しのぎ（鎬）
しのぎじ（鎬地）
はさき（刃先）
むね（棟）
または
みね（峰）
は（刃）
はもん（刃文）
刀の寸法
刀身（打刀《うちかたな》）
反りの高さ
ひらぢ（平地）
（平または地
ともいう）
はまち（刃区）
むなまち（棟区）
めくぎあな（目釘孔）
やすりめ（鑢目）
めい（銘・作者の名）
おもてめい（表銘）
なかご
（茎または中心）
なかごじり（茎尻）
裏《うら》銘《めい》
（製作年月日）

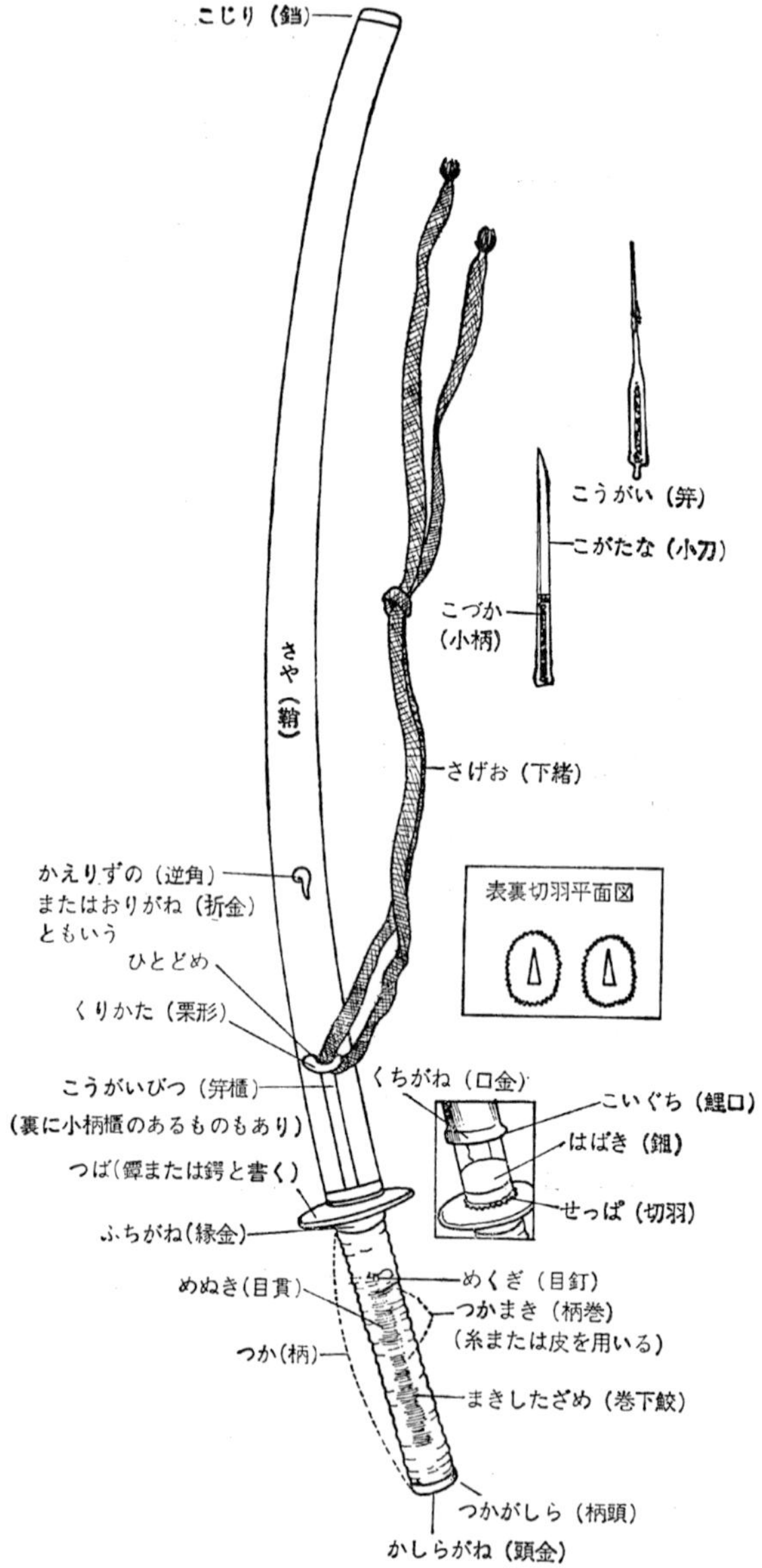
こじり（鐺）
さや（鞘）
こうがい（笄）
こがたな（小刀）
こづか（小柄）
さげお（下緒）
かえりずの（逆角）
またはおりがね（折金）
ともいう
ひとどめ
くりかた（栗形）
表裏切羽平面図
こうがいびつ（笄櫃）
（裏に小柄櫃のあるものもあり）
くちがね（口金）
こいぐち（鯉口）
はばき（鎺）
つば（鐔または鍔と書く）
せっぱ（切羽）
ふちがね（縁金）
めくぎ（目釘）
めぬき（目貫）
つかまき（柄巻）
（糸または皮を用いる）
つか（柄）
まきしたざめ（巻下鮫）
つかがしら（柄頭）
かしらがね（頭金）

拵（打刀拵《うちかたなこしらえ》）

居合の作法並に心得

凡そ武の道は、礼に始まり礼に終るとある如く、（相撲道ではこれを「忍」という）礼に終始することが居合道である。如何なる場合に於ても神の御前にありて霊器日本刀を腰にしている真剣な、そして真摯の気持を持し身心共に礼節そのものでなければならぬ。古来何の道にも夫々儀礼の尊厳さは重要なものとされているが、居合は諸事の礼法の根元であれば殊更のことである。されば居合道に志す者は常に神の御前に真剣を体して、修業する、の感謝の念を蔵していて始めて礼の全きを得るものである。

流祖、恩師、先輩後輩に、そして霊器日本刀に対し何時も尊敬、誠意、至情の念を厚くし、正しく、直き、赤き、真心を持して修業に励むことである。依って以って立派な人格が養われ、居合、即、処世道となるのである。

立　礼

立体の自然体にて行うもので、直立不動の礼である。

神前に対する立礼

神殿に入る時は直立体のまま右手にて刀の鍔下棟上から握り、柄を肘後に、鐺を右足外側前に提げ、演武場中央にて神殿に静かに立礼をする。

写真①　立姿〈1〉

写真②　立姿〈2〉

上座に対する立礼

上座に対しての立礼は、刀刃を上に左手拇指を鍔にかけて握り、体の中央臍につけ、右手を左手の上に軽く添え、鐺を左足外側になる様に提げて静かに立礼をする。

写真① 正　座

正　座

正座する時は袴の裾を右手で、左、右と払い分けて座る。これは足で袴の裾を踏まないように、又足に袴が縺まないようにするためである。両足親指を揃え、両膝をつき、両踵に臀部をのせて座る。両膝の開きは拳一ツ入る程度にし、下腹を前方に出して気力を入れて腰を据え、上体を真直にして肩を下し、両手を両股に軽く置く。目は前方を正視して左手、右手と下し、両手の拇指と食指とで三角形を作り、その上に鼻が乗るように静かに頭を下げ座礼を行い、上体を起して、右手、左手と両手を両股上に上げ正座に直る。

神前に対する座礼

刀を左手に持ち、演武場中央にて、神前に向って右手で袴の裾を払って正座し、刀の鍔棟側に右手拇指をかけて握り、右脚に膝頭と柄頭を並行に、刃を外側にしておく。刀と右股との間隔は拳一ッ入る程度とし、次に座礼と同じ様に神前に敬礼をする。

恩師に対する座礼

恩師に対しての座礼も神前に対する場合と同様に行うのであるが、恩師の場合は両手を下す時は恩師より先に下して礼を行い、恩師の礼が終り両手を上げるのを待って、後、右手、左手と上げて正座に直る。

写真② 刀　礼

刀に対する座礼

次に、右脇にある刀の棟上鍔に右手拇指をかけて握り、刀の柄を上にとり、鐺に左手を添えて鍔と右膝外側と並行になるようにして右膝頭に右手肘が着くように、両手を延して刀刃を外側になるように置く。この時左手肘方六糎位引く。次に左手拇指が臍の上になるように丹田にとり、右手を軽く重ねて目をつぶり、三、四呼吸して心気を鎮め、静かに開眼して両手を両股に置き、刀全身に目を注いで修行させて頂くという感謝の意を表して座礼を行う。以上、神前、恩師、刀の順で始めて座礼を行い、修行が終ったときの礼は、これの反対に刀、恩師、神前と座礼を行うものである。次に他の修行者に相互の礼を交して終る。

帯　刀

刀に座礼をして正座になり、静かに右手は下から鍔に拇指をかけ、左手は鐺に上から添えて握り、刀身柄を右斜上にして鐺を、中央僅か左帯に持って来て、帯袴紐と着物の間に袴の前紐一本（最後に結んだ紐）を鞘の下になるようにして差す。

写真③　紐さばき

写真④　納　刀

写真⑤　紐結い

刀の下緒はその端より約三分の一の所を食指と中指にてはさみ、栗形の方に輪を作って持ち、刀を置く時は刀の手前棟方に刀に並行にして添え、腰に差した時は紐にゆるみを持たせて右袴紐に結ぶ。正式には角帯を用いるものである。

刀を腰に差した時、又立上ったいつの場合も鍔は体の中心、臍に前後しているように注意すること。修業が終った時は立礼をする（いつの場合も刀を杖にしないこと）

立膝

立体より左足を一歩後方に引き、右手にて右足膝裏を後より袴をおさえ、袴が足にからまないようにして左足をあぐらにかき、その踵に尻の穴が来るように臀部をのせて座り、右足は右横に立膝にして足爪先が左膝頭より前に出ない程度とし、上体を真直にして下腹に気力をこめ、両肩を下し、両手は両股の上に五指を上向けて握り、軽く置く。立膝に坐るときは左膝から先に坐り、立上るときは右足を先に立上る。

着眼

正座の時も立膝の時も、眼付けは、前方凡そ九尺（二・七メートル）とする。一ケ所に着眼するといっても八方に心眼を注ぎ遠山を望む気持になることである。動作中に対敵およそ六尺（一・八メートル）斬下した場合、その刀のあとを追うように又、倒れた場合敵を見越した点になるが、その場合の臨機自然の着眼となるのを本旨とする。

目は半眼になるのを常とする。

刀の握り方

両手同時に股より静かに離し、左手は左下から鯉口より鍔に拇指をかけ、右手は右下から鍔より録金を離し、刃を上にした柄を何んとなく緩かに腹で握る気持に握る。両手に柄を握った時、右手と左手の間隔は三・六糎の所とする。実際立合の場合、両手の間隔が離れて中に目釘がある場合、柄が目釘の所から折損する場合もあり得る。刀の操法上両手の間隔は三糎を越えないよう注意することが肝要である。

鯉口の切り方

鯉口の切り方は内切り、外切り、控え切りの三法あるが、居合の場合は主として外切りであって、内切りを加味して行うものである。当流では刀に両手をかけ、とあるのは、鯉口を切ったことと同意である。

抜付け

抜付け、先又は後の先を以って斬付ける鞘放れの一刀で、居合の中心生命とするものであるから、心気充実、必殺の鋭さがなければならない。

斬付け

斬付けは、抜付けで倒して更にとどめの一刀の技であって、居合の生命とする。大きく空に円を描くが如くに床上七、八寸位まで斬下げる。手元の鍔は前膝よりあまり前に出ないことを要する。

血振り

血振りは、敵を完全に倒した後、刀の血を振り払うことであるが、当流では血振りといえども斬下した一刀である。血振りより納刀までの間、いささかも油断なく、如何なる場合にも対応する心構で、所謂残心がなければならない。中伝、奥伝の血振り共に、血を振り落すもので、刀先を充分きかすことが肝要である。

納刀

納刀は敵を倒した後に行うもので十分残心を以って静かに行う。初伝は静かに確実に、中伝は少し早く、奥伝は更に早く行う。正座より刀に両手をかけ、抜付けの刀先九糎位の所までは刀を上にして静緩に行い、刀先九糎位から刀を外横にして鞘放れを早く抜付け、血振して納刀は抜付けの時、刀に両手をかけて抜出し、鞘放れ抜付けた右手、左手の使い方、腰の捻り方、動作の遅速等、出掛けた道を元に返った動作と違わない。

居合の至極――目的

真影流では居合を鞘の内といい居合勝負は鞘の内にあり、即ち、居ながらにして合すの術である。剣道、柔道は人が立合って試合を始めるのだが居合は何時如何なる場合、如何なる場所においてでも対処するもので、常住坐臥、油断があってはならない。それは口にいい易く行い難しだが、勉めて斯くあるべきであって、それによってこそ隙のない心構えが養われるのである。昔の剣客は道に達し、丸腰でいたとはよく聞くことながら正にその人こそ真の居合人といえよう。斯うして修行し終局の目的は神の心になるにある。

又よく耳にすることだが、居合は剣道に附随したものだと、これは知らない人のいうことである。成る程真影流、無念流を初め各流の剣術又柔術、手裏剣術等々それぞれ附随した抜刀術なるものがある。然し「当流は他流に見る単なる抜刀術或は剣道に附属した居合抜刀術ではなく、立派な独立した独特の武術居合であるとある如く」剣道に附随したものでないことを一言する。それは修行が積むに従って自覚を得るものである。又幕末頃流行した職業「居合抜き」とは其の基本精神に異るものであって、剣の舞いでもなければ、見せものの剣でもないことを確信する。

師伝

凡そ武の流れは、流祖があり、それを代々受け継ぎ後者に伝え、連綿と流れ来て今日に至り、またこれを後世に伝え行くものである。これが各々の道であり流れである師に就いて心も技も正しく確実に教授受けること、これが本流であり師伝である。然るに若し、人の技を見て覚えまた「まね」て覚え得々とした大家があるとするなら、以って非なるもので、それはいましむべきである。真の道は見まね聞きまねで得られるものではなく、また形だけのものでもない真の修行真の求道は真随を究むるものでなければならない。

基礎修練

初伝大森流は各流の中で最も新しい技であって、居合の基本的存在である。正しい正座より、抜付け、斬付け、血振り、納刀とこれを正確に然も大業に行うものである。

この居合の基礎である初伝を正しく確実に修練することに依って刀の操法と体のこなしを会得することができる故にこの流を正確に修得し、然る後、中伝（英信流）奥を学ぶ順序となるが、此の流に充分時間をかけて基礎を固めておけば、他はその応用動作なる故、技術的にも又気分的にも順調に修め得るものである。然し、此の基本技を確実に修練せずに先に進むならば、最後まで習技したとしても遂には未完成に終るであろう。

初伝の抜付けの横一文字斬付けの縦一文字、流刀、血振りの両斜等、これに裏技を加えれば刀の操法の殆どがこの流の中に包含されている故、之の初伝を居合の基本技と心得て初心者に修めさすこと肝要と思考す。

居合と健康

清澄の気に満ちた朝、道場において、また自宅において、日本刀を腰にし正座した時の晴れやかな気持こそ何んともいい表し難い爽快さである。そして僅かの時間でも稽古によって心身を鍛える。これ健康の極であって、上体、下半身と全身を平均に働かし殊に初伝は大業なる故に体の運用大なるため関節、筋肉、血管等、全身神経の伸縮をよくするものである故、成るたけ長刀を用いるを良しとする。長刀は刀技を大にし、よって体の運用を大ならしめ従って健康上誠に良い。凡そ日本的修行法は一生を通じて、老、若、男女をとわず行われるもので、居合は修行にまた健康に日本人には誠に適合したものと信じる。

夢想神伝流居合

第一章　初伝　大森流（正座の部）

写真①　抜付け

その一　初発刀（前）

一、意　義

吾が前面に対座せる敵の害意を認識するや、機先を制し、其のこぶし又は顔面に抜付け、倒るるを真向上段より斬付けて勝つの意である。

二、動　作

正面に向って正座し、充分心気を充実し、静かに刀に両手をかけると同時に臀部を上げ、両足の爪先を立てて刀刃を上向きのまま、静かに弛みなく抜き出し、剣先九糎位の所より刃を横外にして急激に右足を前に踏出すと同時に、敵の顔面（鼻部またはこぶし）に抜付ける。これと同時に左手の引手を充分にきかす。この時の右手拳は、肩の高さより僅か下り刃先はそれより少し下がるようになる。踏出したる右足の角度は、直角になること。また、左足のつき膝も同じく直角なること。この足捌きは前後左右に強いもので、いわゆる体造りを確実にする。次に振り冠るときは、左に受流すが如く更に、後方の敵を突刺すように振り冠ると同時に、左膝を右踵まで進め、左手を添えて右足を直角になるように踏付けると同時に斬下す。次に残心を示して左手を静かに柄より離し、左腰にあてると同時に右拳を五指共上向くように、右真横に肘を延ばす。このとき、刀と右腕の角度は、九十度として肘を曲げて、右頭に拳を取り、中指と食指の指頭がわずかに右頭髪に触れ、髪毛をかすり切るが如くに刀を廻して、刀先を体の右横斜下に振り下し血振して刀先を流さぬように、中腰の体勢で、左足を右足に並行に進め、右足を後方に引き腰の備えを充分にして、左手にて鯉口を中指半に五指を上向けて、刃方を横外に握り、中央より僅か左して鞘を左脇方にとる。次に右手鍔元附近の刀背を拇指と食指の凹部に当て、刀先を鯉口に至るまで右手を右前方に延すと同時に左引手をきかせて、一文字になるように納刀三分の一より刃を上にしながら右膝を床板に付け静かに残心を示して納刀する。

写真②　斬下し

三、注　意

動作中上体を前に曲げぬようにし、立体の場合膝は少し

写真③　血振

写真④　納刀

写真①　左足抜付け

曲げて、常に「ゆるみ」を持たせ、下腹に力を充実して寸分の油断なき心構えを以っていわゆる残心を要する。

その二　左刀（左）

一、意　義

吾が左側に、吾と同方向に向って座する敵に対し、初発刀と同意義に行う意である。

二、動　作

正面に対し右向きに正座し、抜きながら右膝頭を軸として左に廻り正面に向い、左足を踏み出すと同時に抜付け、更に振り冠って斬下し、血振して足を踏み替え納刀することと初発刀に同じ。

三、注　意

正面に廻るときは急速でなく、敵を圧するの気分を充分に持して、徐々に廻り、抜刀の速度も廻る速さに調子を併せ、正面に向き直ったとき、剣先九糎の所まで抜き

写真② 左足冠り

写真③ 左足斬付

写真④ 左足血振

いること。以下初発刀に同じ。

その三　右　刀（右）

一、意　義

吾が右側に吾と同方向に向いて座せる敵に対し、初発刀と同意義に行う意である。

写真①　抜付け

写真②　冠　り

二、動　作

正面に対し左向きに正座し、刀を抜きながら左膝頭を軸として右に廻って正面に向い、右足を踏み出すや抜き付け、更に上段より斬下し、血振りして足を踏み替え納刀すること。初発刀に同じ動作である。

その四　当　刀（後）

一、意　義

わが後方に吾と同方向に向って座せる敵に対して行う動作であって、初発刀と同じ意である。

写真①　抜付け後姿

写真②　納　刀

二、動　作

正面に対して後向きに正座し、右膝を軸として、左刀の場合と同じ要領で、百八十度左に廻転して左足を踏み出すや抜き付け、更に上段に振り冠って斬下し、血振り納刀すること。初発刀に同じ動作である。

その五　陰陽進退（八重垣）

一、意　義

わが正面に対座せる敵の顔面又は握拳に斬付けたるも効を奏さないので、敵の後退するを更に立ち上がり、左足を一歩追込んで斬倒し、刀を納めんとするとき他の敵斬付けくるを直ちにこれに応じて勝つの意である。

二、動　作

正面に向い正座し、初発刀と同じ要領にて抜付けて直ちに立上り、左足を踏出し中腰の姿勢にて上段より斬下し、右膝を跪くと同時に左手を左腰に当て、右拳を右に開いて刀刃を右横に向くように血振りし、納刀と同時に左足を引き、左踵が臀部に接する頃、他の敵が急に追込んで来るのに対し、左足を真後に大きく引くと同時に抜付け、左膝を右踵まで進めて、振り冠って斬下し、血振して納刀する。これも初発刀と同じ動作である。

三、注　意

右に刀を開いて行う血振りは、鍔は膝の高さに、右拳は凡そ上股の高さのところ、刀は正面直線の並行線として、刀先は水平より幾分下方になるようにすること。中伝、奥伝の血振りはこれに準ず。

写真① 立上り斬付け

写真② 二の技の起り

写真③　抜付け

写真④　斬下し

その六　流　刀（受流し）

一、意　義

吾が左側正面の敵、八相から吾が頭上に斬付け来たるを左に受け流し、直ちに正面に向き直り其の腰に斬り付けて勝つの意である。

二、動　作

正面に対し右向きに正座し、敵、吾が左側より頭上目がけて斬撃し来るに対し、敵に注目しながら、刀に両手をかけ右前上方に抜き、引手をきかせて、上体を正面敵に相対し、右手肘をのばして厳然と受けると同時に、左足踵を右足膝頭に、一足長弱「トン」と踏出す。（このときの刀は、横表棟にて受ける心持ちに刀先を水平よりやや下げるようにする。）

次に右足を前方に「トン」と踏出して流す。このときの刀は、受け止めたときの線で肘は右脇に、拳は右肩先、首の後方にとり刀先はやや下って中腰となる。次に左足先を敵方に向け、同時に体を敵面に転向し、左手を添えて右足、小指側を両足爪先を開くように

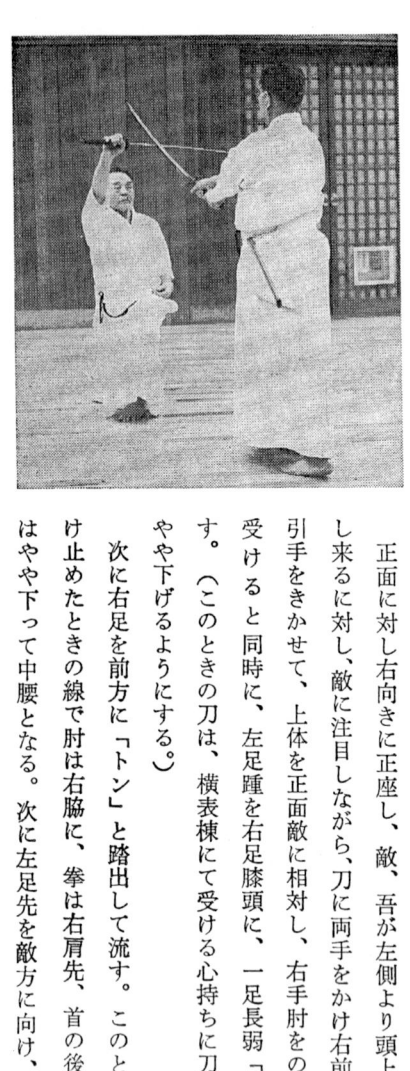

写真①　受　け

写真②　流し

「トン」と踏み付け斬付ける。このとき、両足膝を前横に約八十度位開いて曲げ、両腕肘を延ばし、刀は水平より僅か上に刀刃は左斜下向きになる。次に正面に向き直り左足を一歩後方に引いて上体を起し、刀先を床上僅かまで引下げ、次に右拳五指を上向きに、左拳を下向きに肩と水平に両肘を延ばし、刀先を右膝上に浮かし、右手を柄の上に逆に持ち替え、左手を放して鯉口を握り、右手にて刀先を鯉口に刀刃斜上に向くようにして納刀する。同時に左膝を床に付く。

三、注　意

(イ)　受け流す場合、下半身は正面より右向きに、上半身を正面敵側に向ける。

(ロ)　受け止めると同時の左足踏付けの「トン」と流して前方に踏付ける右足の「トン」と斬付けた右足の「トン」とは「トン」「トン」「トン」の三拍子を連ね行うものとする。

(ハ)　刀に手をかけるときは柄の横から右手をかける。

写真③　斬付け

写真④　残　心〈1〉

写真⑤　残　心〈2〉

写真⑥　納　刀

写真①　抜付け〈1〉

その七　順　刀（介錯）

一、意　義

切腹者の後方又は左側において、切腹者に向って正座して介錯する動作で、極めて静かな気持にて実施するものである。

二、動　作

正面に向って正座する。目は相手に横目に注目しながら静かに刀に両手をかけ、左膝を軸として九十度右に廻ると同時に、右足はそのままで刀を二十五糎位抜き、この時右足を静かに直角に踏み出し立上りながら刀身を体と稍々並行に上向きに抜き立上り、剣先が鞘離れると同時に左足を正面に向けて右足を左足に運び直立する。同時に鞘放れた刀を右肩上水平にかつぎ（その拳は肩の中央に刃を上に浮かす）、次に切腹者の呼吸を計り、間合を取って機を失わず右足を大きく一歩踏出しながら刀を頭

写真②　抜付け〈2〉

写真③　冠りながらの正対

上に冠り、足が地につくと同時に、両手肘を延ばし、首骨を斬り、肉皮を残してこれを引斬るのである。次に刀先を引下げ、流刀におけると同様の納刀をする。

三、注　意

(イ)　他の動作と異り対敵行動でないため十分憐憫の情を吐露し、なお相手の気を聊かも乱すことがないような表情を以って静かに行うものである。

(ロ)　介錯は打首にあらざれば、首を斬落すことなく、皮肉を残す意を以って行うものである。

(ハ)　始終相手から目を離さず行うものである。

写真④　斬付け

その八　逆　刀（附込）

一、意　義

吾が正面より斬込み来る敵の刀を、一歩後に退って摺り落す気分で受け流し、敵が後退するのを追込んで勝つの意である。

写真①　抜付け〈1〉

写真②　抜付け〈2〉

写真③　斬付け〈1〉

写真④　冠り

写真⑤　斬付け〈2〉

写真⑥　冠り残心

二、動　作

正面に向い正座し、右足を左足膝頭より「半足長」踏み出し、刀を凡そ十六糎位抜いた所、敵正面上段より斬付け来るを、左足を後方に引きながら、立上がると同時に順刀の場合と同じ抜き方で、刀を上に抜いて引手を下げ剣先が鯉口を放れんとするとき、右足を左足まで引きながら、左肩を囲って敵の斬先が吾が左肩の囲い流れる所を、上段より敵の顎辺まで斬付ける。続いて左足を踏み出すと同時に振り冠り、右足が地に着くや敵の胸より

写真⑦　止　め

臍の所まで斬下げ、左足を右足に進め、直ちに右足を後方に大きく引くと同時に、刀を頭上に大きく充分に残心を示して振り冠る。然る後、右膝を床に付けると同時に刀を静かに倒れた敵の上に下す。この際左肘に力を入れ、敵をおさえる意志表情にて残心を示す。次に右手を放して刀を逆手に持ち替え、左手を刀背に添え、止めを刺す心持ちにて気合を込めて上方に引き上げる。又突き刺して引き抜くもよし。そのままの姿勢で納刀と同時に左足を引く。

その九　勢中刀（月影）

一、意　義

吾が右側の敵、八相より来て上段に振り冠る所を其の諸手に斬りつけ、更に後退するを踏み込んで斬り下して勝つの意である。

二、動　作

正面に対し左向に正座し、吾が右側の敵が上段より斬撃して来るのに対し、左膝を軸にして約九十度廻りながら刀を抜いて立ちあがり、右足を一足長弱踏み出すと同時に、刀先が鞘を放れ、敵の両甲手を抜打ちに斬り落す気分で斬撃し、次に左足を右足に添えると同時に受流しに振り冠り、右足を一歩踏み出すと同時に斬り下し、血振して納刀すること初発刀に同じ。

写真①　抜付け

写真②　斬下し

その十　虎乱刀（追風）

一、意　義

敵が逃げ去らんとするを追いかけ、斬撃する動作であって、終始立姿で行うものである。

写真①　起り前

二、動　作

正面に向い直立し、刀に両手をかけると同時に左足を一足長弱踏み出しながら抜き出し、右足を大きく一歩踏み出すと同時に抜付ける。次に左足を一歩踏出しながら、受流しに振り冠り、右足を一歩踏み出して斬下し、血振し、左足を右足に進め、次に右足を一歩後方に引いて立体のままにて納刀する。

三、注　意

上段より斬下し、血振して左足を右足に揃え、右足を一歩引き立姿にて納刀する。

写真②　抜付け〈1〉

写真③　抜付け〈2〉

写真④　斬下し

写真⑤　血振

その十一　逆手陰陽進退（脛囲）

一、意　義

五本目陰陽進退と同意義で、敵、吾が右足を斬撃してくるを、脛を囲うようにして受け払い、更に斬下して勝つの意である。

写真①　斬下し

写真②　血振

二、動　作

正面に正座して正面を斬り、血振して納刀するまでは陰陽進退に同じ。次に他の敵、吾が右足脛に斬付け来るを、納めた刀の柄を右手にて逆に上から取り、左足を後方に大きく引き、刀先が鯉口を離れるとき引手を充分きかして右足の外側方に刀の物打表棟で、右脛を囲むように受け払う。このときの刀先は右脛に並行するようになる。次に左足膝を右足踵まで進めながら振冠って斬下し、血振して納刀すること初発刀に同じ。

三、注　意

脛囲は刀の物打辺の表棟で、敵の斬付けて来る刀を叩き落す刀である。

写真③　叩き落し

写真④　斬付け

その十二　抜　刀（抜打）

一、意　義

彼我近接して対座するとき、敵を速急正面より斬付けて勝つの意である。

二、動　作

正面に向い正座する。刀に両手をかけ、同時に両足を爪立て刀を右斜前に水平に抜き、剣先が鯉口を放れると同時に、後方にいる敵を突刺すように振り冠り、両膝を揃えて「トン」と床を打つ。この時上体は、真直に、斬下すと同時に両膝を横に開き、「トン」と床を打ち血振りして納刀し、臀部を踵の上に下して両膝を揃えるのである。

三、注　意

刀の横前に水平に抜く時、柄頭を以って敵を牽制する気分が肝要である。

写真①　冠り

写真② 斬下し

写真③ 血振

第二章　中伝　長谷川英信流（立膝の部）

作法、礼法、呼吸、着眼、体捌き、刀の操法等、略々大森流に同じであるが、聊か異るところは座法と血振とである。中伝の場合の座法は戦国時代に発達したもので、鎧を着用しているので立膝をする。左足を「アグラ」足にし、その踵の上に尻の穴が没するように臀部を乗せ、右膝を右斜めに立て、爪先が左膝頭を出ぬ程度にして下腹を引き、上体を垂直にして、両手は軽く両膝に指を上向け握っておく。又、血振は先の大森流の陰陽進退の初めの血振と同一のものである。（以下作法、血振はこれに準ずる。）

その一　横　雲

一、意　義

大森流の初発刀と同一の要領を以ってするが、抜付けの際、大森流にあっては、右足を踏み出すのに反し、此の技では左足を引くと同時に抜付ける所に差異がある。

二、動　作

正面に向って立膝に座し、機熟して刀に両手をかけ、左足を爪立てて後方に引きながら抜付け、大森流と同じ要領で振冠り斬付ける。次に血振し納刀するものであるが、血振、納刀は前述の大森流の陰陽進退の初めの血振、納刀に同じで、刀を凡そ三分の一納めた頃より右足踵を左足踵の所に引寄せて残心を示す

三、注　意

刀身三分の一を納めた頃から、刃を上にし右足踵を左足踵の所に引寄せながら残心を示す事。大森流に同じ。

又、納刀は大森流に準じ、真一文字に行う。

写真①　立膝

写真②　抜付け

写真③　冠り

写真④　斬下し

その二　虎　一　足

一、意　義

吾が正面に対座せる敵、吾が右足に薙ぎ付け来るを払い除け、敵が退かんとするを上段より斬り付けて勝つの意である。

二、動　作

正面に向い立膝に座す。敵、吾が右足を薙付けくるを、刀刃を上にした柄に右手を逆に、左手を鯉口に持すると同時に左足を爪立て一歩後方に引く。その際、腰を左に捻り、引手を利かせながら刀先が鞘放れ、刀の物打表棟にて右脚を囲んで、敵の刀を叩き落し、振冠ると同時に左足膝を右足踵に進め斬下し、血振、納刀すること前述に同じ。

三、注　意

写真①　脛　囲

刀先が鞘放れて、脚を囲う時は、敵の刀を叩き落すの心懐を以ってするものとする。又、鞘放れ瞬間の刀先は最も鋭く、切先を弾き出すように行う事が肝要である。

写真② 冠り

写真③ 血振

その三　稲妻

一、意　義

吾が正面に対座する敵が、上段に仕掛けて来ようとするその諸手に斬付け、更に真向より斬下して勝つの意である。

二、動　作

正面に向い立膝に座し、敵、吾が頭上に斬込んで来ると見るや刀に両手をかけ、立上ると同時に、左足を一歩後方に引き、腰を左に捻り乍ら抜刀し、敵上段の両手を斬り、次に振冠って斬下す。血振、納刀すること前技と同じ。

写真①　抜付け

写真② 斬下し

写真③ 血振

その四　浮　雲

一、意　義

右側に並んで座する敵が、不意に吾が刀柄をとらんとするを、立上り左に一歩開きながら（刀柄も左に開き）左足を右足外側に運び柄を敵の頭上を越して横に抜き敵の胸に斬付け引倒し斬下して勝つの意である。

二、動　作

正面に対し左向きに敵と並行接近して立膝に座し、敵、吾が刀柄を取らんとするを、直ちに左手拇指を鍔にかけ、同時に右手を右腰にあて、目を半眼に敵に注ぎ、静かに立上り左足を左に大きく開くと同時に、刀も下側から左に開く様に、次に左足を前の方を通って右足外側に運び爪立てる。この時両膝を僅か曲げ、左足腓《こむら》の上に右膝脛をのせて重ねる（これを鷺足という）と同時に左手拇指を鍔にかけた刀を右腰につけると同

写真①　起り前

写真②　抜付け

写真③　引倒す

時に柄に右手をかけ、右横に抜き出し、引手をきかせ腰を大きく捻って斬付ける、この時、右拳は右腰辺にあって刀は敵の胸部と右腕を抑える様になると同時に左足の土不踏は上向きとなり、甲は床に返る。次に斬付けた刀を動かすことなく、返った左足の甲を起すと同時に、左手を斬付けた敵の右腕の刀背に添え、右足を右後方に大きく引きながら左手を真直ぐにして、右足先凡そ十五糎の所に刀先が止るが如くに引倒す。この時、右手拳は右肩の高さにして幾分上に曲がる。次に引倒した刀が来た道を反ね返る如くに左肩方に返ると同時に、右膝にて倒れた敵の左胸辺の腕、又は鎧を踏みおさえながら足を約九十度左後方に廻すと同時に、はね返した右手拳が肩の

写真④　斬付け

写真⑤　納　刀

高さと並び右手指が上斜向きになり刀と右足の線が一本となる様になる。次に振冠ると同時に左足を約九十度右に廻して、引倒した敵の左胸部、又は左腕或は鎧を踏み付けて斬下し、血振して納刀し、正面に向う。

三、注　意

(イ) 浮雲、山下嵐の抜付け即ち、刀先が鯉口を放れる時は、頗る急速なり。例えば、炒豆が焼けた瞬間パッと跳ね返った時の呼吸である。工夫を要する。

(ロ) 引倒す時の左手は食指と中指の基部にて刀背を強く挟さむように手を添える。（以下山下嵐、岩浪の場合もこれに同じ）

(ハ) 引倒した後の返り刀の高さは、水平より剣先三十糎程高くなること（以下、山下嵐、岩浪の場合もこれに準ずる。）

その五　山　下　嵐

一、意　義

右側に座したる敵が刀を抜かんとして刀柄に手をかけたとき、刀に反りを打たせてこれを押え、敵の胸部に斬付け、引倒し斬付けて勝つの意である。

二、動　作

写真①　踏付け拳打ち

写真②　抜付け（実戦の場合）

写真③　引倒す

写真④　残心

正面に対し左向きに敵と並行接近して立膝に座し、敵、刀を抜かんとして柄に手をかけたとき、吾鍔に左手拇指をかけ、右手は右腰にあて、目を半眼に敵に注ぎ、左膝を軸として、右敵に転向と同時に敵が鯉口を切ろうとする、左手と左股を、吾右足でトンと踏付けて敵の左体部を圧すると同時に右手甲を、吾左手五指を上向にした柄頭で打つ。次に打った刀の左拳が吾鼻先き直前を通るようにして右腰に付けると同時に右手で刀柄を握り、刀を右横に抜きながら腰を左に大きく捻り、鞘放れた刀先が敵の胸、腕をおさえる様に斬付けると同時に引手を充分に利かせて左足膝を左に開く。この時左踵が右足踵にやや揃う様になる。次に左手を斬付けた敵の右腕の刀背に添えて、左膝を軸として左足爪先を約九十度左に廻し乍ら右足を立膝にし右後方に引きながら、左足先を更に九十度左に廻して敵を引倒す。次に刀を引倒した方向にはね返す様に返すと同時に、左手を柄に添えて、刀先を右横前に向け右足を一足長前に踏出して、敵の左腕か左肩先、又は鎧を踏み付けおさえて、敵の倒れた方向、即ち右側に約九十度転廻すると同時に振冠り、左膝を床に付けて斬撃し、血振、納刀する。

三、注　意

実戦の場合、敵の甲を打ち、次に柄頭をもって人中あるいは目に当てて敵を圧しておき、抜付け両断するものである。

その六　岩　浪

一、意　義

吾が左側に近接して座する敵の動向を察知し、その機先を制して直ちに抜刀、左方に転向し、其の右腹部を突

写真①　突刺す

写真②　刺して抜く

刺して勝つの意である。

二、動　作

正面に対し右向き、敵に並行近接して立膝に座し、刀に両手をかけて刃が上向きのまま左足を後方に引き（この場合右手はそのままの位置にして刀先が鞘を放れるまで左足を引く）刀先が鞘を放れるとき左膝をついて刀先の背部を左手にのせ、左膝を軸として敵方向に九十度廻転すると同時に右足を左足膝頭に半足長に運び、立膝となると同時に、右拳を右腰部につけ、刀刃は下向して水平となると同時に左手は物打背部を拇指、中指の基部に返し当て、目標をきめ、右足を半足長前にトンと踏付け、突刺し、刺した刀を返すように水平の

写真③　引倒す

写真④　残　心

まま引抜き、次に両手にて引倒し（以下山下嵐の場合と同じ要領を以って）斬撃し、血振、納刀する。

その七　鱗　返

一、意　義

吾が左側に座する敵の機先を制してその顔面に抜付け、勝つの意にして、正座の左刀の技に同じ意である。

二、動　作

正面に右向きに立膝に座し、刀に両手をかけながら右足先を軸として中腰にて左廻り、正面に向くと同時に左足を後方に退くや腰を下して一文字に抜付け、左膝を右踵に進めると同時に振冠って真向より斬下し、血振、納刀する。

写真①　抜付け前

写真②　抜付け

写真③　冠り

その八　浪　返

一、意　義

吾が後方に座する敵の機先を制して其の首に抜付け勝つの意であって、正座の当刀に同じ意である。

二、動　作

正面に後向となって立膝に座し、刀に両手をかけながら右足先を軸に中腰に左に百八十度廻り、正面に向くと同時に左足を後方に物打まで抜き、腰を下して一文字に抜付け、左膝を右踵に進めて振冠って真向より斬下し、血振して納刀する。

写真①　抜付け前

写真②　斬下し

写真③　血振

写真①　起り

その九　滝　落

一、意　義

後方より来た敵が吾が刀の鐺を握ったその握りを捥ぎ取って、敵の胸元に突刺し、倒れるところを更に真向より斬付けて勝つの意である。

二、動　作

正面に後向きに立膝に坐している時、後より来た敵、吾が刀の鐺を右手で摑む。吾左手拇指を鍔に、右手を右腰にあてて目を敵に注ぎながら立上り、左足を後方約百八十度、中腰に開きながら、左拳は五指を上向きに刀柄を下より大きく左肩方向に、左乳の高さに廻し上げるようになる。次に左足を、右足脛に爪先下向けに浮かし付けると同時に、左手の刀柄拳を通った道を返る様に下向きの方向より拇指が上になる様に、右乳に抱きかかえ、柄を上右に付ける。従って鐺が下方になり、敵の手を振り切る。次に右手が柄に掛ると同時に、左足の爪先きが右足右側にトンと踏付ける。次に右足を左足の約三十糎の所に、トンと踏付けると同時に刀を右上方に引手を利かせて抜きながら、引手を利かせて上から落すように敵の胸部に突刺し、刀を受流すように振冠り、右足を一歩踏出して真向から斬下し、左膝を付き血振、納刀する。

三、注　意

(イ)　刀に手をかけた時の左足のトンと右足一歩右に踏出したトンの足間距離が大き過ぎると、敵との間合が遠くなるが故に、足巾は凡そ三十糎とする。

(ロ)　敵に後から刀を取られたため、目付は後敵に、体は左向きに抜刀し、追込む時は、左に廻って真後向きになり斬下すものである。

写真②　敵持手振り切り

写真③　抜　く

写真④　突刺す

その十　抜　　打

一、意　義

吾正面に対座する敵に、機先を制し抜打する意にて、正座の抜刀と同意である。

写真①　冠り前

写真②　冠　り

二、動　作

正面に向って正座し、刀を右斜前方に抜き、刀先を左肩先へ突込むように隻手上段に振り冠り、真向から斬下し、血振して納刀する事、正座の抜刀に同じ動作である。

第三章　早抜の部

（十本一本とも又つなぎとも云う）

これは英信流十本を連続で抜く、所謂、十本、一本の早抜き又はつなぎともいう。

一、横　雲
二、虎一足
三、稲　妻
四、浮　雲
五、山下嵐
六、岩　浪
七、鱗　返
八、浪　返
九、滝　落
十、抜　打

＜注意＞
正面に向って抜付けて最後の抜刀は正面に向って納る事。

第四章　奥居合の部

夢想神傳流哥之巻　全

（夢想神伝流は中山博道先生の流儀だという人もあるが、代々伝わっていることは、この伝書を見ても明らかであるから誤解なきよう）

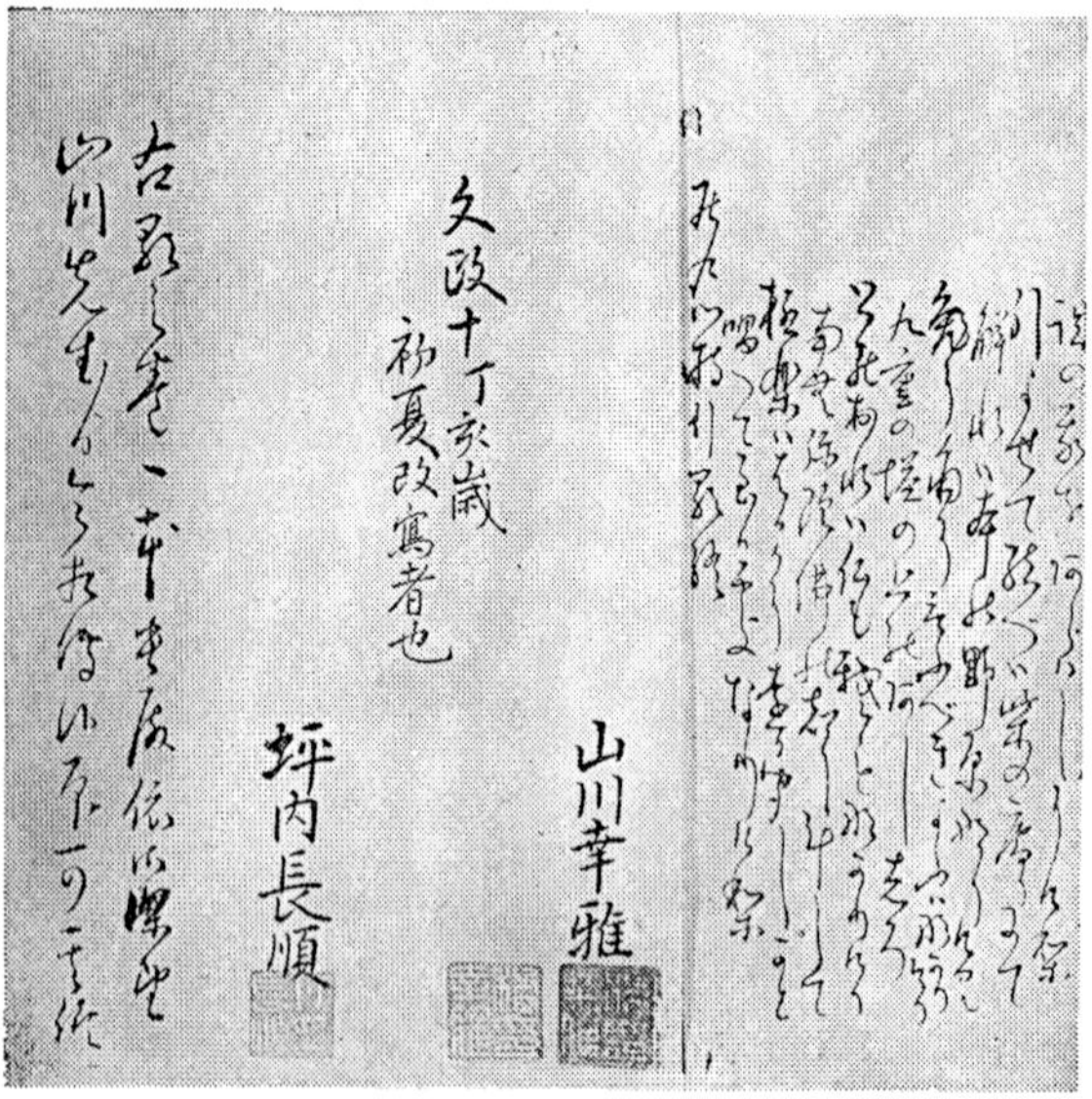
文政十丁亥歳
初夏改寫者也
山川幸雅
坪内長順

㈠　奥居合は居合の至極にして諸動作神速を尊ぶ、抜付けより納刀に至るまで充実した心気を失わざる事、よくよく研鑽練磨習熟し以って精妙なるを要す。

㈡　奥居合の納刀は鍔元凡そ二十センチ迄は極めて早く納め、それよりは静かに残心を以って納刀するものである。格を放れて早く抜くべし。

第一　居　業

その一　向　払（霞）

一、意　義

正面に対坐せる敵二人を制し其、首に斬付け、更に総体を進ませながら刀を返し二人目の敵に斬付け、更に上段より斬下して勝つの意である。

二、動　作

正面に向い立膝に坐し、機満れば、右足を一歩踏出し、抜付けたる右手の止まらぬ間に左足膝頭を右足踵まで進め、右手甲を返し、返す刀で後方の敵の首を斬り払いながら右足を踏出し、更に左膝頭を進めると同時に振冠り右足を直角に踏出し斬下し血振、納刀するが、刀身、三分の二までは早く、後残心を示して静かに納刀する。

写真①　抜払い

写真②　返し斬り

写真③　斬付け

写真④　血　振

三、注　意

抜付けて踏み込む両足は二度行うこともあるが、それは専ら間合によるものであって、諸事臨機応変とする。

その二　柄留（脛囲）

写真①　敵の斬付けを叩き落す

一、意　義

吾が正面に対坐する敵が、吾が右脚を薙ぎ付け来るを受払い、敵の退こうとするに乗じて上段より斬下し勝つの意である。

二、動　作

正面に向い立膝に坐し刀柄に右手を逆に、左手を鯉口にかけるや、左足を一歩後方に退きながら刀をぬき刀先が鯉口を放れるや敵の薙ぎ付けくる剣を叩き落とし、（この際、引手をきかせ右足と剣先が並行の事）左足膝頭が右足踵に進むと同時に振冠り真向から斬下し、血振、納刀するものであって虎一足と同様の要領であるが、その心機に於て異るものがある。

写真②　冠り

写真③　斬下し

その三　向詰

一、意　義

吾、両側に障害ありて、刀を普通のように抜き得ない場合、刀を前面に抜き取りて、前敵を突刺して勝つの意である。

二、動　作

正面に向い立膝に座し、刀に両手をかけるや、腰を僅かに浮かし、刀を右前に抜くと同時に右足を前に踏み込みて敵を突込み、その突込んだ刀を引き抜く気持ちで、上段に振り冠り、真向から斬下し、血振り、納刀する。

三、注　意

両側に障害ある場合の所作であるが、ただ前方の敵に対した場合の動作としても不都合ない。

写真①　前敵を刺す

写真②　冠り

写真③　斬下し

その四　両詰

㈠　戸脇

一、意　義

吾、直前に敷居あり。敷居の向う側右と左に敵を受け、左前の敵を刺撃し、更に右方の敵を斬って勝つの意である。

二、動　作

正面に向って立膝に座し、左右の敵に対し先づ刀に両手をかけるや左敵に目を注ぎ、右足を右後方に引きながら刀を水平に抜き、刃を上外側にして左方敵の左肩下に突込みぬきながら、右側敵に振り向き上段より斬下し、血振り納刀する。

写真①　突刺す

㈡　戸詰

一、意義

写真②　血　振

写真③　納　刀

二人の敵に対しての技。吾、直前に敷居があり、その敷居越しの左右に座する敵の機先を制し、敷居越しに一歩踏み込みて右側の敵を抜打し、更に左側敵を斬り下して勝つの意である。

二、動　作

写真①　抜付け

写真②　冠　り

正面に向って立膝に座し、刀に両手をかけるや、右足を右斜前に踏み込みながら右側敵に真向から抜打に斬下げ、直ちに左敷居越の敵に向うと同時に受流しに振り冠りながら右膝を突き、左側敵に左足をふみ出し斬下し、血振して、納刀する。

写真③　斬下し

写真④　血　振

その五　三角

一、意義

三人の敵に対し、先ず前、右、左と敵に負傷させながら、左、右、前と斬下して勝つの意である。

写真①　返す刀

写真②　冠り〈1〉

二、動　作

正面に向って立膝に座し、刀に両手をかけ前敵に軽く斬付けながら右に廻り、右側敵を斬り、直ちに返し刀で同じ軌道をかえるように一挙に三人に負傷させ、左より受け流しに冠って左側敵を斬下し、次に後右側敵を斬下げ、更に左正面敵を斬下して血振り納刀する。

写真③　冠り〈2〉

写真④　納　刀

その六　四　角（四方斬）

一、意　義

四方に敵を受けたので、後敵を突き、三人の敵に斬付けながら負傷させて真向上段より三人を斬って勝つの意である。

写真①　後敵を刺す

写真②　廻りながらの抜付け

二、動　作

四方に敵を受け、先づ正面に向って立膝に座し、刀に両手をかけ右足を前方に出しながら抜いて後方敵を突き刺し、そのまま左、前、右の三敵に廻りながら斬付けて負傷させ、右より受け流しに振り冠り右敵を斬下し、次に後方左側敵を右より振り冠って斬下し、更に左より振り冠って正面敵を斬下し、血振り、納刀する。

三、注　意

写真③　冠り前

写真④　斬下し

① 角ということはスミと解す。

② 抜き付けながら剣先わずかにて目に負傷させることである。

その七　棚下

一、意義

吾、棚下などの頭の閊へる低き場所にある場合、そこを這い出て、正面敵を斬るの意である。

二、動作

正面に向い立膝に座し、刀に両手をかけるや、右足一歩大きく踏出すと同時に上体を前に低く俯向きて刀を抜きその刀を左肩側から低く頭上にとると同時に右足踵に左膝頭を進め、右膝を直角に踏み出して敵を真向に斬下し、血振り納刀する。

三、注意

(イ) 此の動作は、常に低い場所での所作と考えて行

写真①　頭を低くしての抜き

うを要する。斬下す場合は、棚から這い出てとあるも、あくまでも低い場所にての刀の操法と思考する。

(ロ)　刀を抜く時、一歩踏み出す場合と、又一歩後方に引く場合とあり、何れにてもよく、低い場所にての所作と解すればよい。

写真②　冠り

写真③　斬下し

その八　虎走

一、意　義

敵、前方に逃げ去るを、吾、小走に追いかけて是れを倒したるに他の敵、出で来りて吾に仕掛けんとするを、吾後退し、間合を計って斬付け勝つの意である。

写真①　歩み

写真②　斬付け

二、動　作

正面に向い立膝に座し、刀に両手をかけ、刀柄を右腰に付けると同時に体を低くして立上り、前方に小走りして、右足を踏み込むや、抜付け左膝を跪くと同時に左肩側から振冠り真向に斬下し、血振り納刀しながら右足を左足に退きよせ、刀柄を右腰方に引付けながら、更に低く立上りて小走りに戻り、左足を退くと同時に抜付け、左膝を跪くと同時に振冠り斬下し、血振り、納刀する。

写真③　後退の歩み

写真④　斬下し

その九　暇乞　(1)

一、意義

暇乞は上意打とも称え、主命を帯びて使者に立ち、敬礼の体勢から抜打にする意にして、又彼我挨拶の際、彼れの害意ある気配を察知して、其の機先を制して行う方法である。

二、動作

正面に向って正座し、その座した体勢から僅かに頭を下げ、礼をなす間もなく、俯向いたまま両爪先を立て抜刀、抜打と同じ要領で雙手上段より斬下し、血振り、納刀する。

写真①　始めの礼

写真②　抜付けの起り

写真③　後の礼

写真④　後の抜付け前

写真⑤　斬下し

その十　暇　乞(2)

一、動　作

正面に向って正座し、両手をつき、頭をやや深く下げるや、その体勢にて刀を抜き上段より斬下すこと、前と同要領である。

その十一　暇　乞(3)

一、動　作

両手をつき頭を深く下げた瞬間抜打すること、前に同じ。

この技は、十本目、十一本目とも意義は九本目と同じであるが、動作のうち頭を浅く下げる、深く下げるの違いがある。十本目は九本目よりやや深く、十一本目はさらに深く下げた場合の動作である。

第二　立　業

その一　人　中（壁添）

一、意　義

吾前面に敵を受け、左右に人垣もしくは壁等の障害で、普通の抜刀ができない場合、上方に刀を抜いて、斬下すの意である。

二、動　作

前方に向って歩みながら、左足を踏出すと同時に刀に両手をかけ、右足を左足に揃えて、両足爪立てると同時

写真①　抜き上げ

写真②　斬下し

写真③ 血振

写真④ 納刀

に刀を上方に抜き、左手を添え、両足爪立てたまま、正面の敵を真向より斬下す。この時、両肘は両前脇に付け、左拳は臍の下、刀柄頭は下腹部に接し、刀先は両足爪先に近い所まで斬下げ、そのままの状態で右に刀を開いて、血振り、ついで右拳を前から右頭上にとり、抜いた時の体勢で、上より下に納刀と同時に踵を下ろす。

写真①　突刺す

その二　行連

㈠

一、意　義

吾、不法に連行されるような場合、吾、右足を一歩右後方に開くと同時に、刀を右真横に抜き、左の敵を突刺し、更に右方の敵を斬下して勝つの意である。

写真②　斬下し

二、動　作

正面に向って直立し、左右の敵の中にあって歩み行きながら、静かに右足を右後方に一歩開くと同時に刀を右横一文字に抜き、刀先が鯉口を放れると同時に左敵を、刃を外上側に突刺し、更に右敵に向いながら受流しに振り冠り真向より斬下し、血振りし、納刀する。

㈡

一、意　義

前述の行連と同様の場合、吾を中に左右に敵あり、前進中敵の機先を制し、一歩やり過しながら右敵を抜打に倒し、更に左の敵の振向かんとするを斬下して勝つの意である。

二、動　作

正面に向って直立し、左右の敵の中にあって前方に進みながら静かに刀に両手をかけると同時に左足を僅かに左後に開き、敵をやり過し、右敵に抜打し、直ちに左方敵に向きながら振り冠り、左足を左前方に踏出して真向より斬下し、血振り、そのままの体勢にて納刀する。立膝の納刀と同様、三分の二まで早く、後、静かに残心を示す。

写真①　起り前

写真②　抜き打つ

写真③　斬下し

その三　連達

一、意　義

吾、前進し、敵、両名前後して進み来る時、敵両者の間にありて、敵に接近し、前面敵の顔面人中に柄頭を当て、後方の敵を突き倒し、更に向き直りて、前面の敵を斬下して勝つの意である。

写真①　胸部柄当て

写真②　後敵を刺す

二、動作

正面に向って直立し、前方に歩みながら刀に両手をかけるや、右足を一歩踏込み、鞘諸共、両肘を延し、柄頭を持って、敵、顔面人中に一撃し、右手はそのままに、左手は鯉口を握ったまま刃を横上にして、左腰に引きながら、後方敵に注目、抜刀、敵胸部に刀刃を上横に突刺し、次に刺した刀を抜くように振冠り正面向きとなって斬下し、血振り、納刀する。

写真③　抜き上げに冠り

写真④　斬下し

その四　行違

一、意　義

前方より来る敵と行違えざま横一文字に斬払い、真向より斬下して勝つの意である。

写真①　起り（行違いざま）

写真②　斬付け前

二、動作

歩行中、行違えざまに、右足が出ると同時に刀に両手をかけ、左足を後方に引くと同時に袖下辺に引手を充分にきかせて抜き、横に払いながら敵側に向い上段より斬下し、血振り、納刀する。

写真③　斬付け（冠り前）

写真④　冠　り

その五　夜の敵（信夫）

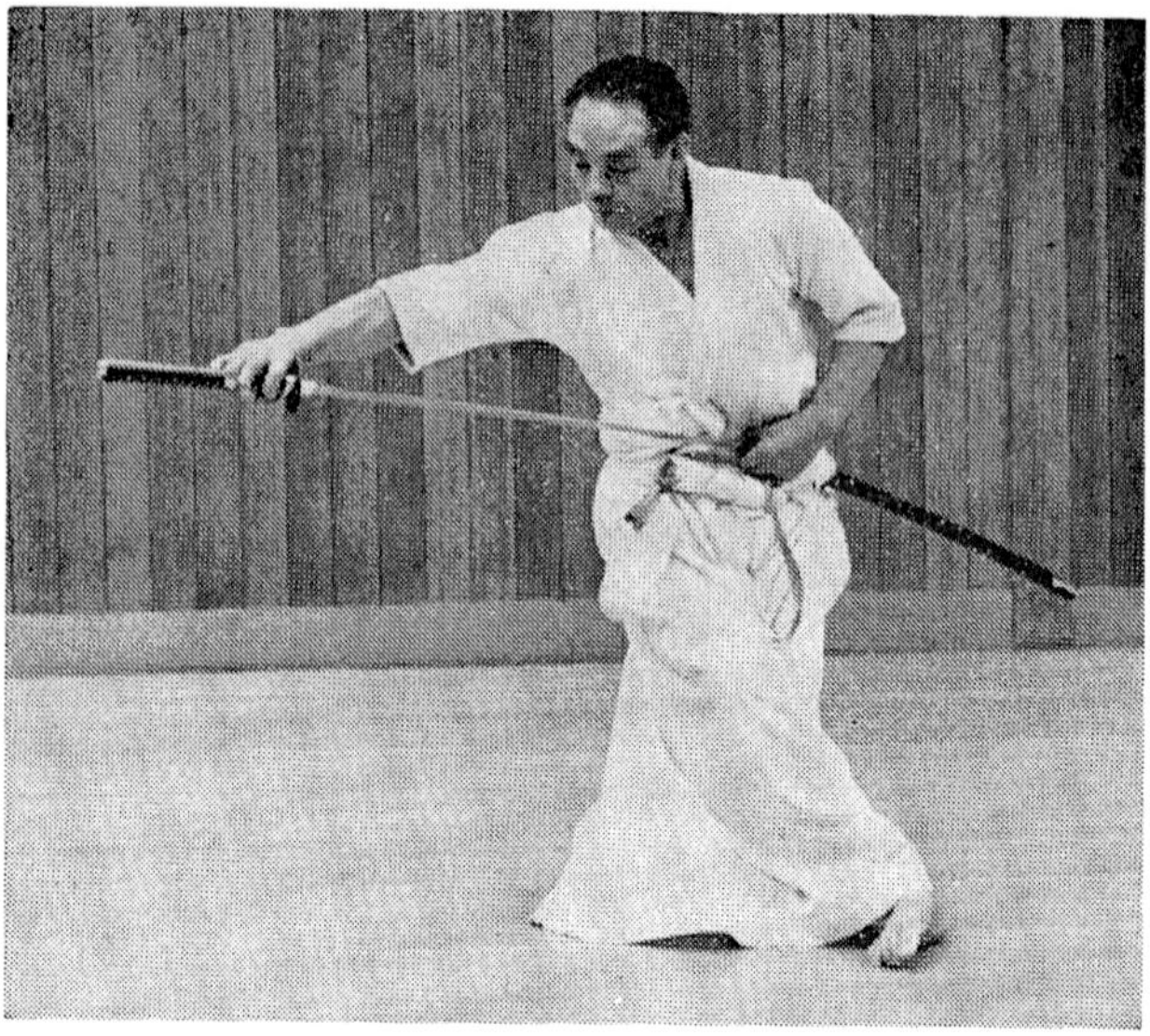

写真①　抜き下し寸前

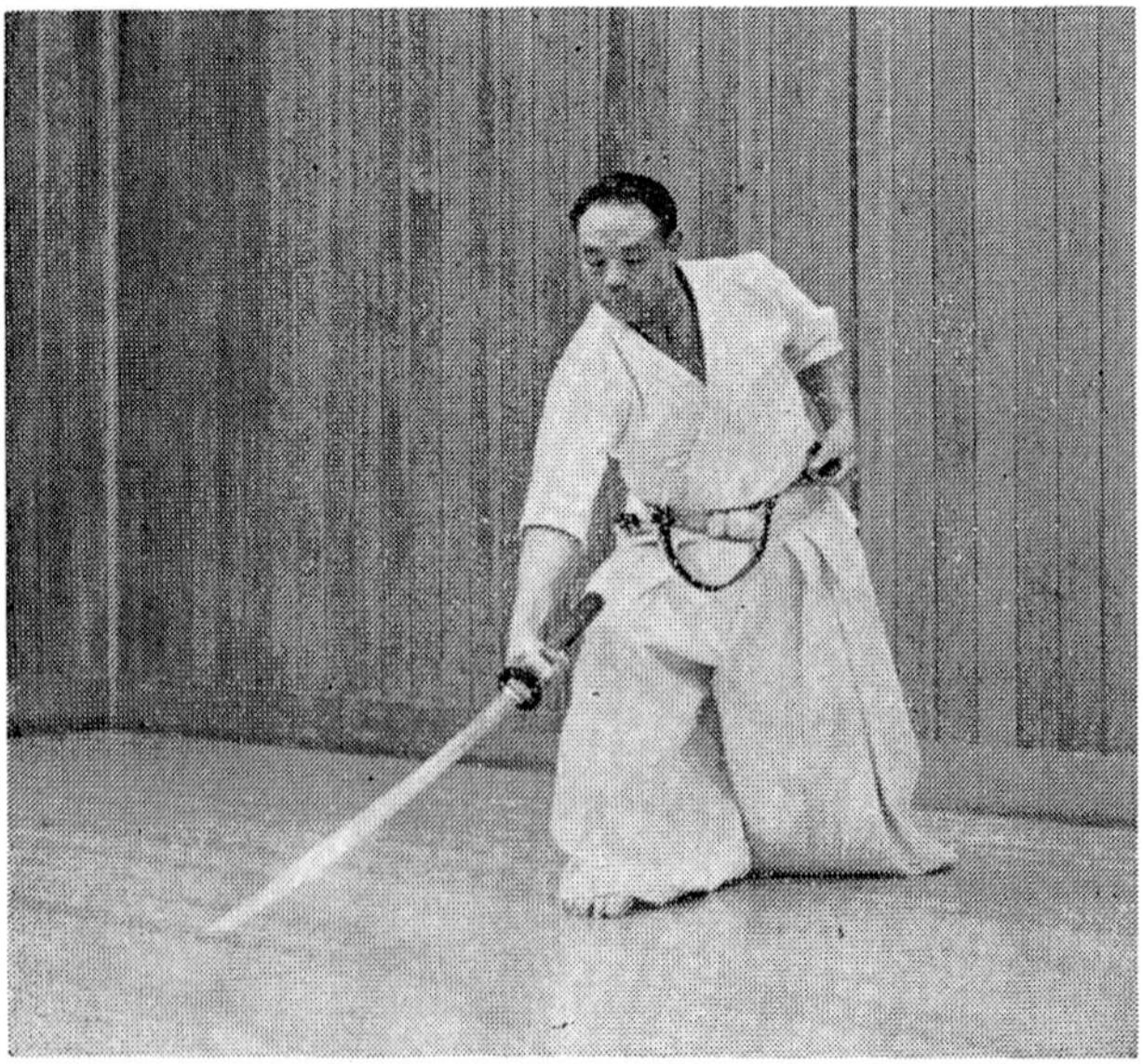

写真②　敵を誘う刀

写真③　冠り

写真④　斬下し

一、意　義

暗夜、前方に幽かに敵を認め、吾、左側に体をかわし、敵の進み来る真正面の地面に、吾、剣先を着けて、敵を誘い寄せ、敵、其の所に斬込み来るを上段より斬下して勝つの意である。

二、動　作

正面に向って直立し、前に歩みながら静かに刀に両手をかけると同時に体を沈めて、前方敵を透し見る心持にて、左足先を左にふみ出すと同時に、刀柄を右腰に引付け、右足の踵を左足の外側に、爪先を敵側に向け、左足爪先にややそろう様に運ぶと同時に刀を抜き放ちながら、左足を大きく左後方に引いて、刀刃を左横に五指上向く様に拳を返し、腕を延し、刃先は最初前進したる直線上の床を軽く二度位打付けるによって、敵、其の所に斬込み来るを、右側より振り冠って真向より斬下し、血振り、納刀する。

三、注　意

上段より切付ける時、その間合により、一歩踏出すこともある。

その六　五方斬（惣捲）

一、意　義

敵、正面より斬込み来るを、吾、刀を抜くと同時に一歩退きて敵刀を摺り落しながら右肩にとり、敵の退く所を追撃して勝つの意である。

二、動　作

正面に向って直立し、前方に歩みながら、右足を一歩踏出すと同時に、刀に両手をかけ、刃を上にして十五センチ位抜き、右足を後方に一歩退きながら、刀を上方頭部、左肩を囲むようにして抜き取りながら、敵の斬込み

写真①　抜付け前

写真②　斬付け〈1〉

写真③　斬付け〈2〉

来る刀を摺り落すや、右横水平に首後肩にとり、右足を踏込み、敵の左面に斬付け、更に刀を返して左足を踏込み、右肩に斬付け、尚も右足を踏込んで左胴に斬付け、更に左足を踏込んで敵右腰を一文字に斬払い、振り冠り、右足を踏込んで真向より斬下し、血振り、納刀する。

写真④　斬付け〈3〉

写真⑤　納刀

その七　放打（総留）

一、意　義

吾、狭い板橋または土堤の細道等、体をかわせぬ場所を通行の時、前面の敵の胸部に抜打し、また其の影にひそみ居る敵に対して勝つの意である。

二、動　作

正面に向って直立し、前方に歩みながら左足を踏出すと同時に両手を刀にかけ、右足爪先を左向きに踏込むと同時に腰を充分左にひねり、半身となって抜打に右斜に（敵の胸辺に）斬付け、納刀しながら左足爪先が右足右に爪先前方足裏を返しながら腰を下して運びながら納刀、また右足を一歩踏込んで、前述同様に斬付けること三度にして、斬付けた所より腰をひねって正面に向い、血振り、納刀する。

写真①　起り〈1〉

写真② 斬付け前

写真③ 抜打ち

写真④　起り〈2〉

写真⑤　納刀

その八　賢の事（袖摺返）

一、意　義

群集の中にありて、その先方にいる敵を、人垣を割き分けながら前方に追いかけて斬下して勝つの意である。

写真①　抜いてかきわける

写真②　かきわけて冠り前

二、動　作

正面に向って直立し、前方に歩みながら左足を出すと同時に刀に両手をかけ、刀を前方に抜き、右足を踏出すと同時に鯉口を放れた刀先が左肩側の後を、突刺すように右腕を上に両腕を大きく組みながら左足を踏出し、次

写真③　冠り

写真④　納刀

に右足を踏出すと同時に、組んだ両手の肘をもって左右の人々を割き分け振払い、右肩側より振り冠ると同時に左足を踏出し、右足を踏出しながら、敵を真向より斬下し、血振り、納刀する。

その九　隠れ捨（門入）

写真①　抜き刺し前

写真②　突刺す

一、意　義

吾、門内に入ろうとする時、敵の襲撃に逢い、吾、門に踏込んだ所で前後の敵を倒して勝つの意で、頭上に鴨居または門等がある場合に行う技である。

写真③　冠　[illegible]

写真④　血　振

二、動　作

正面に向って直立し、前方に歩みながら、刀に両手をかけると同時に左足を踏出し、次に右足を後方に引きながら右向きとなりながら、横一文字に抜き刀刃を外横上にして前の敵を突刺し、後方敵に振り向きながら上段に冠って斬下し、更に後方より抜き付けようとする他の敵を振り向いて真向から斬下し、血振り、納刀する。

その十　受流

一、意　義

敵、吾、正面より斬込み来るを頭上に抜き、敵刀を受流して敵の首に斬付けて勝つの意である。

二、動　作

正面に向って前進中、左足を出すと同時に刀に両手をかけ左足を右足前に出しながら、刀を頭上に抜いて受け、右足を右に一歩踏み出して流し、左手を添え左足を後方に引きながら敵の首に斬下し納刀する。

写真①　抜き流し

写真②　冠り

写真③　斬付け

第五章　全日本剣道連盟居合の部

（昭和四十四年制定）
（昭和六十三年改正）

一　作法

神前（道場）で演武するときは次の作法にしたがって行う。仏前、国旗、来賓席はこれに準ずる。

「㈠携刀《けいとう》姿勢」で「㈡出場」し、「㈢神座《しんざ》への礼」を行う。「㈣演武の方向」に位置し、「㈤始めの刀礼」を行って「㈥帯刀」し、演武に移る。演武を終え、「㈦終わりの刀礼」を行い、ふたたび「神座への礼」を行って「㈧退場」する。

㈠　携刀姿勢

左手は、親指を鍔《つば》にかけて残り四指で下げ緒とともに鯉口《こいぐち》近くを握り、肘《ひじ》をわずかにまげて刃が上、「柄頭《(1)つかがしら》」が腹部中央、「鐺《(2)こじり》」が約四五度後ろ下がりになるように左親指のつけねを左腰骨の上端に軽く接して刀を携《たずさ》える。

右手は体側にそって自然に下ろす。

注(1)　柄頭＝柄の先端＝拵《こしらえ》の図参照（78ページ参照）

(2)　鐺＝鞘《さや》の先端＝拵の図参照（78ページ参照）

(二)　出場

「携刀姿勢」で右足より演武の位置に進み出る。出場前には必ず目釘《めくぎ》をあらため、服装を正し、刀が帯びやすいよう左帯を調整するなどの諸準備を整えておく。

(三)　神座への礼

「携刀姿勢」で神座に向かって直立する。左手を右脇腹《わきばら》近くにおくり、右手で[1]「栗形《くりかた》」の下部を下げ緒とともに握って刃が下、「柄頭」が後ろになるように刀を右手に持ちかえる。左手は鞘からはなして自然に下ろし、右手は「鐺」が前下がりになるように刀を体側にそって自然に提《さ》げる。上体を前に約三〇度傾けてうやうやしく礼を行う。終わって、右手首を左へひねって[2]「たなごころ」を右外に向け、そのままへそまえにおくる。左手の親指を鍔にかけて刀を左手に持ちかえ、ふたたび「携刀姿勢」となる。

注(1)　栗形＝下げ緒を結束する部分＝拵の図参照（78ページ参照）
(2)　たなごころ＝手のひら＝手の握る部分

(四)　演武の方向

「携刀姿勢」のまま右足の方へ回って[1]「神座が左斜めになる方向」に位置する。

注(1)　この方向を「演武時の正面」という（以下、この方向を方向表記の基準とする）。

(五)　始めの刀礼

「携刀姿勢」から「1着座」し、正面床上に柄を右側にして「2刀を置き」、「3正座の姿勢」となったのち、刀への「4座礼」を行ってふたたび「正座の姿勢」となる。

1　着座

「携刀姿勢」から左右いずれの足も引くことなく、両膝《ひざ》をわずかに開きながら折りまげ、右手で(1)「袴捌《はかまさば》き」を行って左、右の順に(2)「両膝を床につく」。両つま先を伸ばして親指をそろえ、腰を下ろして落ち着けながら、右手は指を軽く伸ばして右腿《もも》上に置くと同時に、左手は刀を持ったままいったん左腿上に置く。

注(1)　袴捌き＝袴の裾《すそ》を「たなごころ」で静かに左右へ払うこと

(2)　両膝を床についたとき、両膝の間隔はおよそひとこぶしとする。この時、「鐺」が床に当たらないように刀を水平近くにする。

2　刀の置き方

左手で左腿上の刀をわずかに右前に引き出しながら右手を左手の内側におくり、右手の親指を鍔にかけて残りの四指で鯉口近くを握る。刃を正面に向けて右肘を伸ばしながら、左手は鞘をしごくようにして「鐺」近くにおくって上から軽く握る。上体を前に傾け、「鐺」が神座に向かないようにやや手前に引いて刀を正面床上に横たえる。上体を起こしながら両手を右、左の順に腿上に置き、気を静めて「正座の姿勢」となる。

3　正座の姿勢

背筋《せすじ》を伸ばして「[1]丹田《たんでん》」に力をこめ、両肩の力を抜いて胸は自然に張る。[1]「うなじ」を伸ばして頭《かしら》をまっすぐにし、両手を自然に腿上に置く。目は約四〜五メートル先の床上に向け、半眼に開いて「[3]遠山《えんざん》の目《め》付《つ》け」となり

写真①　立礼

写真②　刀を左にたおす

写真③　帯刀前

気は四方にくばる。

注(1) 丹田＝へその下＝下腹
(2) うなじ＝首の後ろ側
(3) 遠山の目付け＝目の前を注視しないで遠くの山を見る気持の目付け

4 座礼

「正座の姿勢」から上体を前に傾けながら、指をそろえて両手を左、右の順に床につき、両人さし指と親指の先をたがいに合わせて三角形をつくる。両肘を軽く膝と床につけて上体を低く倒して額《ぬか》ずき、うやうやしく礼を行う。終わって上体を静かに起こしながら、両手を右、左の順に腿上にもどしてふたたび「正座の姿勢」となる。

(六) 帯刀

「始めの刀礼」を終え、剣心一体の心境となった「正座の姿勢」から上体を前に傾けながら両手を伸ばして刀をとる。右手は「たなごころ」を上にして鯉口近くを握って鍔に親指をかけると同時に左手を「鐺」近くにおくって鞘を上から軽く握る。上体を起こしながら「鐺」を腹部中央におくって左手でわけた帯の間に入れる。左手を左帯におくり、右手で鍔がへそまえにくるように「刀を帯びる」[1]。終わって、下げ緒を結び、両手を腿上に置いて帯刀した「正座の姿勢」となる。

注(1) 刀を帯びてから刀を前後に動かし、柄を回すなどのことは努めて避ける。

㈦　終わりの刀礼

演武を終え、「着座」したのち「1脱刀」し、正面床上に柄が左側になるように「2刀を置いて刀への座礼」を行う。左腿上に「3刀をとり」、「4立ち上がる」とともに「携刀姿勢」となる。

1　脱刀

帯刀した「正座の姿勢」から下げ緒をとき、左手は鯉口近くにおくって親指を鍔にかけて握り、刀をわずか右前に引き出しながら右手は左手の内側におくる。右手の人さし指を鍔にかけて残りの四指で鯉口近くを握る。左手を左帯におくり、右肘を伸ばして刃が内側に向くよう脱刀する。

2　刀の置き方と座礼

左手は左腰に当てたまま、右手は「鐺」を右膝右前方におくって刀の刃を内側に向けていったん刀を床上に立てたのち、刀を静かに左に倒して正面床上に一文字に横たえる。上体を起こしながら両手を腿上に置いて「正座の姿勢」となる。㈤の4、座礼」にならって刀への礼を行ったのち、両手を腿上にもどしてふたたび「正座の姿勢」となる。

3　刀のとり方

左手は左腿上においたまま右手を伸ばして、人さし指を鍔にかけて残りの四指で鯉口近くを握る。刃を内側に向けたままいったん刀を静かに正面中央に立てる。左手を鞘の中程におくり、「鐺」近くまでなで下ろす。両手で刀を左脇後方へ引いて左腿上に置く。左手を鞘からはなして、右手の内側におくる。左手の親指を鍔にかけ、残りの四指で鯉口近くを握って刀を左手に持ちかえ、右手は右腿上に置く。

4　立ち上がり方

刀を左腿上に置いた「正座の姿勢」から腰を上げ、両つま先を立てて腰を伸ばす。右足を左膝頭の内側におくり、上体を前に傾けることなく立ち上がると同時に後ろ足を前足にそろえて「携刀姿勢」となる。

(八)　退場

「携刀姿勢」で神座に向き直り、刀を右手に持ちかえて「神座への礼」を行う。ふたたび左手に持ちかえて「携刀姿勢」となり、左足から二、三歩後退し、右足の方へ右回りに回って退場する。

二　術技

【正座の部】

(一) 一本目「前《まえ》」

＜要義＞

対座している敵の殺気を感じ、機先を制して「こめかみ」[1]に抜きつけ、更に真っ向から切り下ろして勝つ。

注(1)　こめかみ＝目と耳の線付近

＜動作＞

1　正面に向かって正座する。静かに刀に両手をかけて鯉口を切り、腰を上げながら刃を上にしたまま「鞘引《さやび》き」[1]とともに刀を抜き出し、両つま先を立てて鞘を左へかえし始め、「鞘放《さやばな》れ」[2]寸前に刃を水平にし、腰を伸ばして右足を「踏み込む」[3]と同時に敵の「こめかみ」めがけて激しく「抜きつける」[4]（写真①）。

注(1)鞘引き＝左手は鯉口からはなすことなく、小指を帯に押しつけて左こぶしをじゅうぶん後方に引くこと。

写真① 抜付け

写真② 冠り

写真③　斬下し

(2)鞘放れ＝切っ先が鞘の鯉口から放れること。

(3)踏み込んだとき、左足のつま先は左膝の真後ろとなって両膝が直角となるように、じゅうぶん腰を入れ、上体をまっすぐにして「丹田」に力を入れる。

(4)抜きつけたとき、上体は約四十五度左へ開き、右こぶしは右斜め前方で止める。切っ先は右肩よりわずかに下げ、右こぶしよりやや内側で止める。

2　左膝頭《ひざがしら》を右かかと近くにおくると同時に鯉口をへそまえにもどしながら切っ先を左耳にそって後ろを突く気持ちですばやく刀を頭上に「振りかぶる」[(1)]。振りかぶると同時に左手を柄にかけ、間をおくことなく右足を踏み込むと同時に真っ向から「切り下ろす」[(2)]（写真②③）。

注(1)振りかぶったとき、切っ先を水平より下げない。

(2)切り下ろしたとき、左こぶしはへそまえで止め、切っ先を水平よりわずかに下げる。体勢は「前項の注(3)」と同様である。

3　左手を柄からはなして左帯におくると同時に右手の「たなごころ」を上にかえして刃先を左に向け、そのまま右へおおきく肩の高さに回して肘をまげてこぶしを「こめかみ」に近づける。立ち上りながら「袈裟《けさ》[1]に振り下ろしての血振り」をして「居合腰[2]」となる（写真④）。

写真④　血振り

写真⑤　納刀

注(1)袈裟に振り下ろしての血振りは雨傘《あまがさ》の雫《しずく》を振りきるときと同じ要領で行う。振り下ろしたとき、右こぶしは左手と水平の高さで右斜め前方となり、切っ先は約四五度前下がりとなって右こぶしよりやや内側で止める。このとき刃先は振り下ろした方向に向く。

(2)居合腰＝残心の気構えで両膝をわずかにまげ、腰をおとした姿勢。

４「居合腰」のまま後ろ足を前足にそろえ、続いて右足を引く。左手を左帯から鯉口におくって「納刀」し(写真⑤)、納め終わると同時に後ろ膝を床につく。

注(1)納刀のとき、左手は鯉口を中指で握って親指と人さし指の握りをゆるめ、右手は鍔元近くの棟《むね》を左手の親指とまげた人さし指のくぼみにおくる。右肘を右斜め前方に伸ばして切っ先を左腰近くにおくるとともに、左手の鯉口も左帯近くにおくって切っ先を鯉口に入れる。刀を納めはじめるとともに、左手で鞘をわずかに引き出してこれを迎え、静かに両手で納め終わって鍔に左手親指をかける。納め終わったとき、鍔はへそまえとし、刀はほぼ水平にする。

５　立ち上がると同時に後ろ足を前足にそろえる。右手を柄からはなして「帯刀姿勢」[1]となり、左足より退いて元の位置にもどる。

注(1)帯刀姿勢＝刀を帯に差した姿勢。

(二)二本目「後《うし》ろ」

〈要義〉

背後にすわっている敵の殺気を感じ、機先を制して「こめかみ」に抜きつけ、さらに真っ向から切り下ろし

写真①　抜付け前

写真②　抜付け

写真③　冠り

写真④　血振り

て勝つ。

〈動作〉

正面から右足の方へ右回りに回って後ろ向きに正座する。静かに刀に両手をかけ、「一本目、動作の1」にならって刀を抜き出す（写真①）。刀を抜き出しながら右膝頭を軸に左膝を立てて左回りに回って正面の敵に向き直り、同時に左足をやや左寄りに踏み込んで敵の「こめかみ」めがけて激しく抜き付ける（写真②）。

以下「一本目の動作2、3、4」と同様に（写真③④）、足の運びを左右逆にして「切り下ろし」、「血振り」、「納刀」し、「帯刀姿勢」となって左足より退いて元の位置にもどる。

(三)　三本目「受《う》け流《なが》し」

〈要義〉

左横にすわっていた敵が突然、立って切り下ろしてくるのを「鎬《しのぎ》」[1]で受け流し、さらに袈裟に切り下ろして勝つ。

注(1)鎬＝刀身の図参照（77ページ参照）

〈動作〉

1　正面から右向きに正座する。正面（左横）の敵に振り向くと同時に両手をすばやく刀にかける。間をおくことなく、腰を上げて右足つま先を立て、腰を伸ばしながら左足を右膝の内側に足先をやや外側に向けて踏み込んで刀を胸元近く頭上前方に「抜き上げる」[1]。抜き上げると同時に立ち上がり、右足を左足の内側に踏み込んで敵の打ち下ろした刀を受け流す。

注(1)刀を抜き上げたとき、刃先は後ろ斜め上に向けて切っ先を下げ、刀で上体をかばった姿勢となる。

2　受け流した勢いで切っ先を右上方へ回して敵に向き直りながら左手を柄にかけ、刀を止めることなく、左足を右足後方に引くと同時に敵の左肩口から「袈裟に切り下ろす」[1]。

注(1)袈裟に切り下ろしたとき、左こぶしはへそまえで止め、切っ先は水平よりわずかに下げ、やや左となる。

写真①　抜き流し前

3　そのままの姿勢で刃先を前方に向けながら「両手を左前」[1]にして、「ものうち」[2]近くを右膝頭の上方におくる。

注(1)両手を左前にしたとき、左手は肘を伸ばして柄を上から握り、右手は「たなごころ」を上に向け、握りをゆるめて柄を下から支える姿勢となる。

(2)ものうち＝刀身の図参照(77ページ参照)

4　右手を柄からいったんはなし、上から逆手《さかて》に持ちかえる。

5　左手は柄からはなして鯉口を握る。右

手は「たなごころ」を上にかえして切っ先を下から左へ回して鍔元近くの棟を鯉口におくる。逆手のまま「納刀」し、納め終わると同時に後ろ膝を床につく。

6 立ち上がると同時に後ろ足を前足にそろえる。右手を柄からはなして「帯刀姿勢」となり、左足より退いて元の位置にもどる。

写真② 流す

写真③ 冠り

写真④　袈裟斬り

写真⑤　残　心

【居合膝の部】

(四)四本目「柄当《つかあ》て」

〈要義〉

前後にすわっている二人の敵の殺気を感じ、まず正面の敵の「水月《すいげつ》」[1]に「柄頭」を当て、続いて後ろの敵の「水月」を突き刺し、さらに正面の敵を真っ向から切り下ろして勝つ。

注(1)水月＝みずおち

〈動作〉

1　正面に向かって「居合膝」[1]で着座する（写真①）。すばやく刀に両手をかけて腰を上げ、左足のつま先を左膝の真後ろに立てて腰を伸ばし、右足を踏み込むと同時に、両手で鞘もろとも刀を前に突き出して「柄頭」で正面の敵の「水月」に激しく当てる（写真②）。

写真①　立　膝

写真②　胸部柄当て

注⑴居合膝は次の要領で着座する。「帯刀姿勢」から「袴捌き」ののち、両膝を折りまげて左膝を床につき、右足を左膝の内側におくって左つま先を伸ばす。右足は膝を斜めに傾けて立てて足裏右の方で床を踏み、尻《しり》を左かかとにのせて上体を落ち着ける。両手は「たなごころ」を下に向けて軽く握り、両腿の中程に置いて「作法、㈤の3」の「正座の姿勢」にならって正しい姿勢となる。

写真③　突刺す

写真④　血振り

2　直ちに左手で鞘だけ後方に引きながら後ろの敵に振り向き、左膝頭を軸に左足のつま先を右に回して上体を左に開いて、抜き放つと同時に「ものうち」近くの棟を左乳に当てて刀を外側にする（写真③）。間をおくことなく、左手を内側にしぼって鯉口をへそまえにおくると同時に右肘を伸ばして後ろの敵の「水月」を突き刺す。

3　正面の敵に振り向き、左膝を軸に左足先を元にもどすと同時に刀を引き抜きながら頭上に振りかぶり、左手を柄にかけて正面敵に向き直ると同時に真っ向から「切り下ろす」[(1)]。

注⑴切り下ろしたとき、切っ先や体勢は「一本目、動作2の注⑵」と同様である。

4　そのままの姿勢で左手は柄から離して左帯におくると同時に右手の刀は「右に開いての血振り」[(1)]をする。

注⑴右に開いての血振りをしたとき、右こぶしの位置は右斜め前方にあって、その高さは左手と水平にする。刃先は右に向け、切っ先はわずかに下げ、右こぶしのやや内側で止める。

5　左手を左帯から鯉口におくって「納刀」しながら前足を後ろ足に引きつけて腰を落ち着け、片膝ついた蹲《そん》踞《きょ》の姿勢となる。

6　腰を伸ばし、右足を左膝頭の内側におくって立ち上がると同時に後ろ足を前足にそろえる。右手を柄からはなして「帯刀姿勢」となり、左足より退いて元の位置にもどる。

【立ち居合の部】

(五)五本目「袈《け》裟《さ》切り」

〈要義〉
前進中、前から敵が刀を振りかぶって切りかかろうとするのを逆袈裟に切り上げ、さらにかえす刀で袈裟に切り下ろして勝つ。

〈動作〉
1　右足より正面に向かって前進し、左足を踏み出したときにすばやく刀に両手をかける。鞘を左下にかえしながら刀を抜き出し（写真①）、右足を踏み込むと同時に右片手で正面の敵の右脇腹から逆袈裟に「切り上げる」[1]（写真②）。

注(1)切り上げたとき、刀をかえして右のこぶしは右肩の上方となる。

2　そのままの足踏みで左手は鞘を元にもどしながら鯉口からはなして柄にかけ、切り上げた刀を止めることなく敵の左肩口から袈裟に「切り下ろす」（写真③）。

注(1)切り下ろしたとき、左こぶしと切っ先の

写真①　袈裟斬り起り

位置は「三本目、動作2の注(1)」と同様である。

3　右足を引きながら八相《はっそう》の構えとなって残心を示す（写真④）。

4　左足を引きながら左手を柄からはなして鯉口を握ると同時に「袈裟に振り下ろしての血振り」をする（写真⑤）。

5　そのままの姿勢で「納刀」する。

6　後ろ足を前足にそろえ、右手を柄からはなして「帯刀姿勢」となり、左足より退いて元の位置にもどる。

写真②　袈裟斬り＜1＞

写真③　袈裟斬り＜2＞

写真④　八　相

写真⑤　血振り

(六) 六本目「諸手《もろて》突き」

〈要義〉

前進中、前後三人の敵の殺気を感じ、まず正面の敵の右斜め面に抜き打ちし、さらに諸手で「水月」を突き刺す。つぎに後ろの敵を真っ向から切り下ろす。続いて正面からくる他の敵を真っ向から切り下ろして勝つ。

写真①　斜面抜き打ち

〈動作〉

1　右足より正面に向かって前進し、左足を踏み出したときに刀に両手をかけ、右足を踏み込むと同時に上体を左へ開いて正面の敵の右斜め面からあごまで抜き打ちする（写真①）。

2　直ちに後ろ足を前足近くにおくりながら刀を中段に下ろして左手を柄にかけ、間をおくことなく右足を踏み込むと同時に諸手で正面の敵の「水月」を突き刺す（写真②③）。

3　後ろの敵に振り向き、右足を軸に左回りに回って刀を引き抜きながら左足を左に踏みかえ、受け流しに頭上に振りかぶり後ろの敵に向き直ると同時に右足を踏み込んで真っ向から「切り下ろす」（写真④）。

注⑴切り下ろしたとき、両こぶしはへそまえで止め、刀は水平にする。以下、十本目まで真っ向から「切り下ろす」場合はすべて同様である。

写真②　斬下し後の構え

写真③　胸部突き

4　さらに正面からくる他の敵に向き直ると同時に右足を踏み込んで真っ向から切り下ろす（写真⑤）。

5　そのままの姿勢で左手を左帯におくると同時に「右に開いての血振り」をする。

6　左手を左帯から鯉口におくり、そのままの姿勢で「納刀」する。

7　後ろ足を前足にそろえ、右手を柄からはなして「帯刀姿勢」となり、左足より退いて元の位置にもどる。

写真④　後敵斬下し

写真⑤　斬下し

(七)七本目「三方《さんぼう》切り」

〈要義〉

前進中、正面と左右三方の敵の殺気を感じ、まず右の敵の頭上に抜き打ちし、つぎに左の敵を真っ向から切り下ろし、続いて正面の敵を真っ向から切り下ろして勝つ。

写真①　真向抜打ち

写真②　左敵冠り

〈動作〉

1　右足より正面に向かって前進し、左足を踏み出したときに刀に両手をかける。正面の敵を圧しながら刀を抜き出し、右の敵に左足を軸にして向き直ると同時に右足をやや前方に踏み込んで敵の頭上からあごまで抜き打ちする（写真①）。

写真③　左敵斬下し

写真④　正面斬下し

2　そのままの足踏みで右足を軸にして左の敵に向き直りながら刀を受け流しに頭上に振りかぶると同時に左手を柄にかけ、間をおくことなく真っ向から切り下ろす（写真②③）。

3　左足を軸にして正面の敵に向き直りながら刀を受け流しに振りかぶり、右足を踏み込むと同時に真っ向から切り下ろす（写真④）。

4　右足を引きながら諸手左上段の構えとなって残心を示す。

5　左足を引きながら左手を柄からはなして左帯におくると同時に「袈裟に振り下ろしての血振り」をする（写真⑤）。

6　左手を左帯から鯉口におくり、そのままの姿勢で「納刀」する。

7　後ろ足を前足にそろえ、右手を柄からはなして「帯刀姿勢」となり、左足より退いて元の位置にもどる。

写真⑤　血振り

(八)八本目「顔面《がんめん》当て」

〈要義〉

前進中、前後二人の敵の殺気を感じ、まず正面の敵の顔面に「柄当て」し、続いて後ろの敵の「水月」を突き刺し、さらに正面の敵を真っ向から切り下ろして勝つ。

写真①

写真②

＜動作＞

1　右足より正面に向かって前進し、左足を踏み出したときに、刀に両手をかける（写真①）。右足を踏み込むと同時に鞘もろとも突き出して「柄頭」を敵の両眼の間に激しく当てる（写真②）。

2　直ちに後ろの敵に振り向きながら「鞘引き」をする。右足を軸に左回りに回って「鞘放れ」と同時に左足

写真③

写真④

を左に踏みかえ、後ろの敵に向き直ると同時に右こぶしを右上腰に当てて刃を外側にして刀を水平にする（写真③）。間をおくことなく、右足を踏み込むと同時に上体を崩さずに右肘をじゅうぶん伸ばして後ろの敵の「水月」を「突き刺す」[1]（写真④）。

注(1)突き刺したとき、右こぶしは切っ先よりわずかに下げる。

3　正面の敵に振り向き、刀を引き抜きながら右足を軸に左回りに回って左足を左に踏みかえ、受け流しに振

写真⑤

写真⑥

りかぶり、左手を柄にかけると同時に正面の敵に向き直り（写真⑤）、間をおくことなく右足を踏み込んで正面の敵を真っ向から切り下ろす（写真⑥）。

4　そのままの姿勢で左手を柄からはなして左帯におくると同時に「右に開いての血振り」をする（写真⑦）。

写真⑦

写真⑧

5　左手を左帯から鯉口におくり（写真⑧）、そのままの姿勢で「納刀」する（写真⑨⑩）。

6　後ろ足を前足にそろえ、右手を柄からはなして「帯刀姿勢」となり、左足より退いて元の位置にもどる。

写真⑨

写真⑩

(九)九本目「添《そ》え手突き」

〈要義〉

前進中、左の敵の殺気を感じ、機先を制して右袈裟に抜き打ちし、さらに腹部を添え手で突き刺して勝つ。

写真①

写真②

〈動作〉

1　右足より正面に向かって前進し、左足を踏み出したとき、左の敵に振り向くと同時に刀に両手をかける。続いて踏み出した右足を軸にして敵に向き直りながら左足を引く（写真①）と同時に上体を左に開いて敵の右肩口から左脇腹まで「袈裟[1]に抜き打ちする」（写真②）。

写真③

注(1)袈裟に抜き打ちしたとき、右こぶしはへその高さで止め、切っ先は右こぶしよりわずかに上がったところで止める。

2　右足をやや外側に向けてわずかに引いて「添え手突き[1]の構え」となり間をおくことなく左足を踏み込むと同時に敵の腹部を「突き刺す[2]」（写真③）。

注(1)添え手突きの構え＝左手は刀身の中程の棟を親指と人さし指の間でしっかりはさみ、柄を持つ右手は右上腰にあて、刃先を下に向けて刀を水平にし、上体を右に開いた姿勢
(2)突き刺したとき、右こぶしはへそまえで止め、刀は水平にする。

3　左手の位置を動かすことなく、刀を引き抜きながら刃先を前下に向け、右こぶしを右乳前方におくって「構え[1]」、

残心を示す（写真④）。

注⑴構えたとき、左手は親指と人さし指の間に刀身をはさんだまま「たなごころ」を下に向け、右腕は軽く伸ばして刀との角度はおおむね直角にする。

4　左手を刀身からはなして鯉口を握り、左足を引くと同時に刃先の向きにそって「右に開いての血振り」をする（写真⑤）。

5　そのままの姿勢で「納刀」する（写真⑥⑦⑧）。

写真④

写真⑤

写真⑥

写真⑦

写真⑧

6　後ろ足を前足にそろえ、右手を柄からはなして「帯刀姿勢」となり、左足より退いて元の位置にもどる。

(十) 十本目「四《し》方《ほう》切り」

〈要義〉

前進中、四方の敵の殺気を感じ、機先を制して、まず刀を抜こうとする右斜め前の敵の右こぶしに「柄当て」し、つぎに左斜め後ろの敵の「水月」を突き刺し、さらに右斜め前の敵、続いて右斜め後ろの敵、そして左斜め前の敵をそれぞれ真っ向から切り下ろして勝つ。

写真①

＜動作＞

1　右足より正面に向かって前進し、左足を踏み出したとき、右斜め前の敵に振り向くと同時に刀に両手をかける。鞘ごと突き出して、刀を抜こうとした敵の右こぶしを右足を踏み込むと同時に強く柄の平《ひら》で打つ（写真①）。

2　直ちに左手で「鞘引き」しながら左斜め後ろの敵に振り向き、切っ先が鯉口から放れると同時に、左回りに回って敵に対し「一重《ひとえ》身《み》」[1]となり、「ものうち」付近の「棟を左乳に当て」[2]、間をおくことなく左足を踏み込むと同時に、左手を内側にしぼりながら右肘を伸ばして敵の「水月」を突き刺す（写真③）。

写真②

写真③

注(1)一重身＝半身よりも上体が開き、ほぼ真横に向いた状態

(2)棟を左乳に当てたとき、および突き刺したときの上体は「四本目、柄当て」のときと同様である。

3　右斜め前の敵に振り向き、刀を引き抜きながら頭上に振りかぶると同時に左手を柄にかけ、右足を軸に右回りに回って敵に向き直ると同時に左足を踏み込んで真っ向から切り下ろす（写真④）。

写真④

写真⑤

写真⑥

写真⑦

写真⑧

写真⑨

4　右斜め後ろの敵に振り向きながら左足を軸にして受け流しに振りかぶり、敵に向き直ると同時に右足を踏み込んで真っ向から切り下ろす（写真⑤）。

5　右足を軸にして左回りに回り（一八〇度）、左足を左に踏みかえて脇構えになりながら受け流しに振りかぶり（写真⑥）右足を踏み込むと同時に左斜め前の敵を真っ向から切り下ろす（写真⑦⑧）。

写真⑩

写真⑪

写真⑫

6　右足を引きながら諸手左上段の構えとなって残心を示す（写真⑨）。

7　左足を引きながら左手を柄からはなして左帯におくると同時に「袈裟に振り下ろしての血振り」をする（写真⑩）。

8　左手を左帯から鯉口におくり、そのままの姿勢で「納刀」する（写真⑪⑫）。

9　後ろ足を前足にそろえ、右手を柄からはなして「帯刀姿勢」となり、左足より退いて元の位置にもどる。

三　補　足

(一)　神殿内における出場・退場時の足の運び方・回り方

神殿内で演武する場合、出場するときは「下《しも》(1)の足」から進み、退場するときは「上《かみ》(2)の足」から退く。方向をかえるときは「上の足」の方へ回る。

注(1)　下の足「神座」または「上座《かみざ》」から遠い方の足、正中線上に位置したときは左足

(2)　上の足「神座」または「上座」に近い方の足、正中線上に位置したときは右足

(二)　神殿内における神座への礼

「携刀姿勢」で神座に向かい、「作法、㈤の1」にならって「着座」する。左手で左腿上の刀をわずかに右前に出しながら右手を左手の内側におくる。右手の人さし指を鍔にかけ、残りの四指で下げ緒とともに鯉口近くを握り、刀を右手に持ちかえる。左手を左腿上に置きながら右手は「鐺」を左後方から右後方におくり、刃は内側にして鍔を膝頭にそろえ、右腿と平行におよそひとこぶし離して静かに床上に置く。右手を刀からはなして右腿上にもどし、「作法、㈤の4」にならって「座礼」を行う。終わって、逆の順序で左腿上に刀をもどす。

(三)　相互の座礼

㈡の「神殿内における神座への礼」と同様であるが、恩師ならびに先輩に対しては先に額ずき、おくれて上体を起こす。

(四)　野外での刀礼

「携刀姿勢」より左手をわずかに右前に引き出しながら右手を左手の内側におくる。右手の親指を鍔にかけ、残り四指で下げ緒とともに鯉口近くを握る。刃を外側に向けて右肘を右前に伸ばしながら左手は「たなごころ」を上に向けて「鐺」近くにおくる。両手で刀を目の高さにいただき、刀に対してうやうやしく礼を行う。「始めの刀礼」のときは続いて「鐺」を腹部中央におくって「帯刀」し、「終わりの刀礼」のときは刀を左脇後方へおくって「携刀姿勢」となる。

(五) 提げ刀姿勢

左手は下げ緒とともに刃を上にして鯉口を軽く握り、体側にそって「鐺」が後ろ下がりになるよう刀を自然に提げて立った姿勢。「休め」のとき、この姿勢をとる。

(六) 演武の心得

演武はすべて、充実した気勢、正確な刀法、適法な姿勢、いわゆる「気・剣・体の一致」を心がけ、全身全霊を打ち込んで真剣勝負の心境で「行ずる」心がけが大切である。

(七) 呼吸

各技に移るときは原則として三呼吸目を吸い込んだときに動作を始める。各技を一呼吸で終えることが望ましいが、さもなくば敵に呼吸を悟られないようにすることが大切である。

(八)　柄の握り方

右手は鍔元近くを握り、左手は[1]「巻き止め」に小指がかからぬように「柄頭」を余して握る。両腕とも上筋《うわすじ》より下筋《したすじ》を強くし、小指と薬指を締めて他の指をゆるめ、ちょうど鶏卵《けいらん》を握るように柄に「たなごころ」が全部さわっているよう、柔らかく握る。

注(1)　巻き止め＝拵の図参照（78ページ参照）

(九)　下げ緒

刀には下げ緒を結束するのが原則である。下げ緒の結束法および捌き方は、各流派の定める方法により行う。ただし場合によっては着用を省略することもできる。

注意事項

(一)　受け流しについて

敵が「立姿」で然も「八相」に構えているのに対しては、正座姿の者は目を相手の目を通して刀の「物打」に付け、切り下ろして来るのに対して立ち上ると同時に受け、体を囲むのが至当である。よって刀に両手をかけながら、柄を上方に向ける。立ち上りながら右足を左足に揃えるのと、刀を抜き上げるのと、敵に正対するのとが一挙動でなければならない。

次に敵の刀が受け流れたところを上段に刀先を敵に向けながら左手を柄に添え、左足を右足後方に引くと同時に敵の「左袈裟」に切り下ろす。

注(1)立ち上ると同時に左足に右足を揃えながら左「引手」を左下にきかせて上段となった体勢こそ対敵、切り下ろす姿である。

(二)　柄当てについて

敵の「水月」に「柄当て」して後方敵の「水月」を右片手で突き刺すには、右手肘を充分に伸ばさないと「水月」に届かず、用をなさないので、右膝をわずかに左に向け、敵「水月」に突き刺した刀より三十度位「引手」をきかせて左肩が左になるようでないと充分でない。

(三)　斬り下ろしについて

特に「立体」の場合の斬り下ろしは後足の移動は不当である。刀の「そり」を活用しなければ「円心」の用をなさない。「そり」を活用するには「そり」より遠い所、手の場合左手の握りが大切で又、下半身の場合は後足の踵が一番重要な所である。その重要な足が移動したのでは「円心」にならなく「物打」の力が変動して物にな

らない。つまり支えの軸足である。（後足）

(四)　上段に取った場合

上段の刀先が少し中央をそれることは間違っている。用は足の問題である。「左上段」だから刀先がそれるのでなく左右何れの上段でも居合の上段は足は真直ぐ敵に向かっているので上段も真直ぐ顔の真後に刀先が来ていて、敵に一番近い位置になければ不利となる。

(五)　四本目、八本目、十本目の場合

特に八本目「顔面当て」の場合、諸手で「柄当て」「柄打ち」する時、踏み出す足と軸足とに注意を要す。この場合重要なことは軸足に七の力を以って支え足として「踏み出す足を三」とすることである。もし踏み出す足が七の力であれば軸足の後足が前足につられて前進することとなり、理合にならない。

(六)　回転について

「正座」の場合はともかく「立体」の場合の後敵に対しての回り方がこの頃変って来ている。前敵に切り下ろし、後敵に回る場合は斬り下ろした前足を軸にして回るものだが、この頃は後足で回っている。しかも後足を一足ずらして敵から近くして回ることは間合から見ても敵より近くなり剣の理合に反する。後足で回ることは大変

楽なので、楽な方を用いることは修錬にならなく却って敗れを取るもので、剣の理合は我より近く敵より遠くするものだがこれでは「あべこべ」である。注意を要す。

第六章　組太刀の部

太刀打の位

一、出合

写真①　神前の礼

写真②　互の礼

写真③　刀礼

打太刀、仕太刀、相互に帯刀にて進み（写真④）、互に相手の右膝辺に刃と刃を合せて抜き合せ（写真⑤）、つぎに仕太刀は打太刀の退くところを左足、右足と踏込んで真向に斬付け、打太刀は両足を一歩退きながら（右足を右後方に）頭上に十文字に刃と刃を合せて受け止める（写真⑥）。

写真④

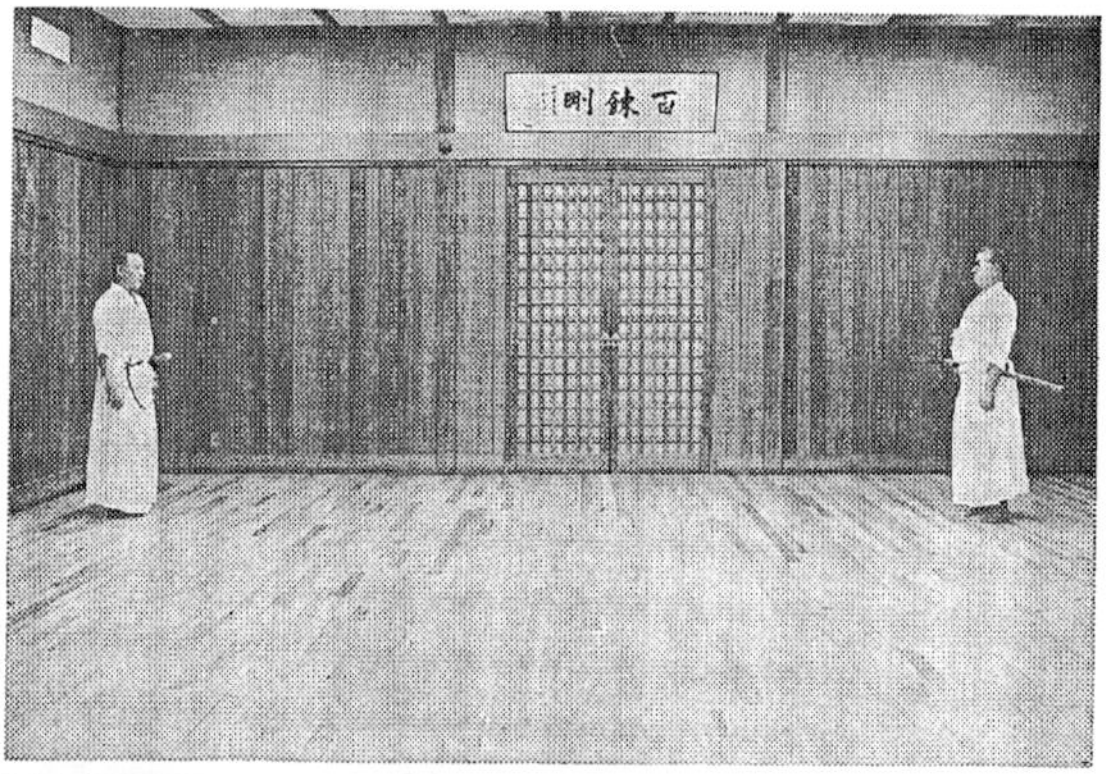

写真⑤

写真⑥

仕太刀は二歩後退、打太刀は一歩進み相正眼となり（写真⑦）、互に五歩退いて血振り（写真⑧）納刀する。

写真⑦

写真⑧

二、附込

打太刀、仕太刀、相互に出合同様、帯刀にて進み、互に敵の膝頭辺に刃と刃を合せて抜打ちし（写真①）、仕太刀は間髪を入れず左足を一歩踏出し、膝を床につけ左手にて敵の右手首を逆にとり、下方に引くようにして敵の体勢を崩すと同時に、右手刀先を敵ののど辺につける（写真②）。

写真①

写真②

次に敵の刀をおさえて二歩後退（写真③）、相正眼となり（写真④）五歩退いて血振り納刀する。

写真③

写真④

三、請　流

打太刀、仕太刀、互に八相にて進み、仕太刀が真向より斬付けるを、打太刀右足を引きながら十文字に刃を合せて受ける。打太刀また八相にとるところを、仕太刀は左足を僅かに踏出し、刀先を敵の左手をおさえて目につける（写真①）。打太刀その時仕太刀の刀を横に払って来るを、仕太刀は体を左に開きながら受流して冠り（写真②）、真向に斬付ける（写真③）。

写真①

写真②

写真③

つぎに仕太刀は二歩退って相正眼となり、互に五歩退き、血振り（写真④）納刀する。

写真④

四、請込

打太刀、仕太刀とも八相にて進み、仕太刀が真向より斬込むを、打太刀右足を引いて十文字に刃を合せて受け（写真①）、請流しのように八相にとるところを、すかさず仕太刀は左足を僅かに出し、敵の左手をおさえる。打太刀が討とうとして冠るところの左肘へ仕太刀は刀をすりつける（写真②）。ついで仕太刀は二歩退いて相正眼となり、互に五歩退き、血振り（写真③）納刀する。

写真①

写真②

写真③

五、月　影

打太刀、仕太刀、八相にて進み、互に上段より討込み、相討となり、互に歩を進めて拳と拳を鍔元で押合い（写真①）、つぎに互に右足を退きながら刀を右脇構にとり（写真②）、打太刀八相より右足を出して仕太刀の左足を払って来るを、仕太刀は左足を退くと同時に上段に冠って討込む（写真③）。ついで仕太刀は二歩後退し相正眼となり、互に五歩退いて血振り納刀する。

写真①

写真②

写真③

六、水月刀

仕太刀は中段にて刀先を打太刀の眉間につけ、打太刀八相より互に進み（写真①）、打太刀、仕太刀の刀先が邪魔になって八相よりなぐり討ちに来るを、仕太刀はすぐに左足を右足に揃えると同時に振冠り、真向に討込んで勝つ（写真②）。仕太刀は二歩退き相正眼となり（写真③）、互に五歩後退し、血振り納刀する。

写真①

写真②

写真③

七、絶妙剣

仕太刀下段、打太刀八相にて互に進み、互に拝み打に討つ（写真①）。互に歩を進めて拳と拳を合わす。打太刀直ちに上段に取るを、間髪をいれず、仕太刀は打太刀の拳の下より人中に柄頭をあて込む（写真②）。この時一歩トンと左足を踏込む。仕太刀二歩退り、互に正眼、五歩後退し血振り納刀する。

写真①

写真②

八、独妙剣

打太刀、仕太刀、八相で進み、仕太刀、間合にて討込む。打太刀これを右足を右横にし乍ら十文字に受け、直ちに打太刀が真向に討込んで来るを、仕太刀は頭上にて左手を刀棟物打辺に添えて十文字に受け（写真①）、直ちにそのまま打太刀の面に摺込んで勝つ（写真②）。仕太刀二歩退き相正眼となり、五歩後退して血振り納刀する。

写真①

写真②

九、心明剣

仕太刀帯刀、打太刀上段にて進み、間合にて打太刀が真向より討込んで来るを、仕太刀は片手で十文字に受ける（写真①）。打太刀がそのまま退くところを、仕太刀、物打辺に左手を添えすかさず打太刀の刀を押し除ける様にして左足を踏出して首根に討込む（写真②）。仕太刀二歩退って相正眼となり、五歩後退し、血振り納刀する。

写真①

写真②

十、打　込

打太刀、仕太刀、互に中段で進み（写真①）、真向より物打にて打込み合せ（写真②）、青眼になおって五歩後退し、血振り納刀する。

写真①

写真②

位取り

その一　出合

写真①　起り前

写真②　相互斬付け

仕太刀、打太刀共に柄に手をかけて体を少し屈めて小走りに約一・六五米位の距離に出て右足を出すと同時に膝の所に仕、打、共に抜打ちに刃と刃を合わす。仕太刀は直ちに右足を一歩踏込み上段より直向に斬込む。打太刀は右足を一歩後横に後退しながら柄に左手を添えて頭上十文字に受け刃と刃を合わす。仕太刀は二歩退き、打太刀は一歩出て中段の構となり残心を示す。次に相互に五歩後退し、元の位置に復し、血振して納刀する。

写真③　両刃合わす

写真④　構えに戻る

その二　拳取

一本目と同じ様に小走りに出て膝の辺りで抜き打ちに刃と刃を合せ、直ちに仕太刀は左足を敵の側面に踏込み右膝をつき左手にて打太刀の右手首を逆に持って下に引き下げる。そのため打は上体をやや前かがみとなるところを仕は右拳を腰の辺に当て刀先を敵ののどにつけ残心を示す。仕は二歩退り、打は一歩出て青眼の構となる。互にそのまま五歩退って血振して納刀する。

写真①　起り

写真②　相互斬付け

写真③　きめて突く構え

写真④　残心しながら刀を殺す

写真⑤　血振り

その三　雷（出撃）

仕、打共に柄に左手をかけて体を屈めて小走りに出て、約一・六五米位の所で、右足を出すと同時に相手の右面辺を斬る様に抜打ちに刃と刃を合わす。仕は直ちに左足を右足辺に送りながら振冠り右足一歩出して左面に、

写真①　相互抜打ち〈1〉

写真②　相互抜打ち〈2〉

打は両足を一歩退きながら敵の左面に刃と刃を合わせ、次に仕は左足を出しながら右面に、打は左足を引きながら右面に刃と刃を合わせ、次に打は左足を引きながら上段に冠るところを仕はすかさず右足を出して打の上段の左甲手に斬り付ける。仕は二歩退き相青眼となり、互に五歩後退し、血振して納刀する。

写真③　敵上段左手を斬る

写真④　血振り

その四　詰　流（撃流）

仕、打、共に柄に手をかけて体を少し屈めて小走りに出て約一・六五メートル位の所で、右足を一歩出すと同時に相手の右面に抜打ちに刃と刃を合わす。仕は直ちに左足を右足辺に送りながら振冠り右足一歩踏出して敵の正面に斬込む。打は右足を一歩大きく後横に後退しながら柄に左手を添え頭上十文字に受けて刃と刃を合わす。次に打は両足を後退しながら八相に取ると、仕はすかさず敵の左手に剣先を付けるを打が左斜に大きく打払って来るのを仕は相手の刀が我が太刀にふれると同時に右に流し、左足を一歩左斜に踏出しながら相手の正面に斬付けると同時に右足を少し後に引く。仕は左より三歩後退し相青眼となり互に五歩後退、血振して納刀する。

写真①　相互抜打ちより敵八相と同時に剣先を左目につける

写真②　敵わが刀先を嫌い斜めに打下して来るのを上段より斬付ける

写真③　残心しながら敵刀を殺す

写真④　相青眼にかえる

写真⑤　血振り

その五　鍔留

仕太刀青眼、打太刀八相となり相互に右足より五歩出合ながら双方上段より合打ちとなり、仕、打共に右足を進めながら鍔元の押し合いとなる。次に互に右足を後方に大きく引きながら左半身の脇構えとなる。次に打は直ちに上段より右足を踏込み、相手の肩より斜に斬下す。仕は左足を引きかわしながら上段となり頭上に斬付ける。仕二歩退き、相青眼となり、互に五歩退き血振して納刀する。

写真①　相互拝み打ち

写真② 拝み打ちより相互攻め合う

写真③ 相互脇構えにとる

写真④ 敵真向より左肩より斬下して来るのを左足を引いて体をかわして上段に冠る

写真⑤　正面に斬下す

写真⑥　相互構えになおる

その六　柄詰

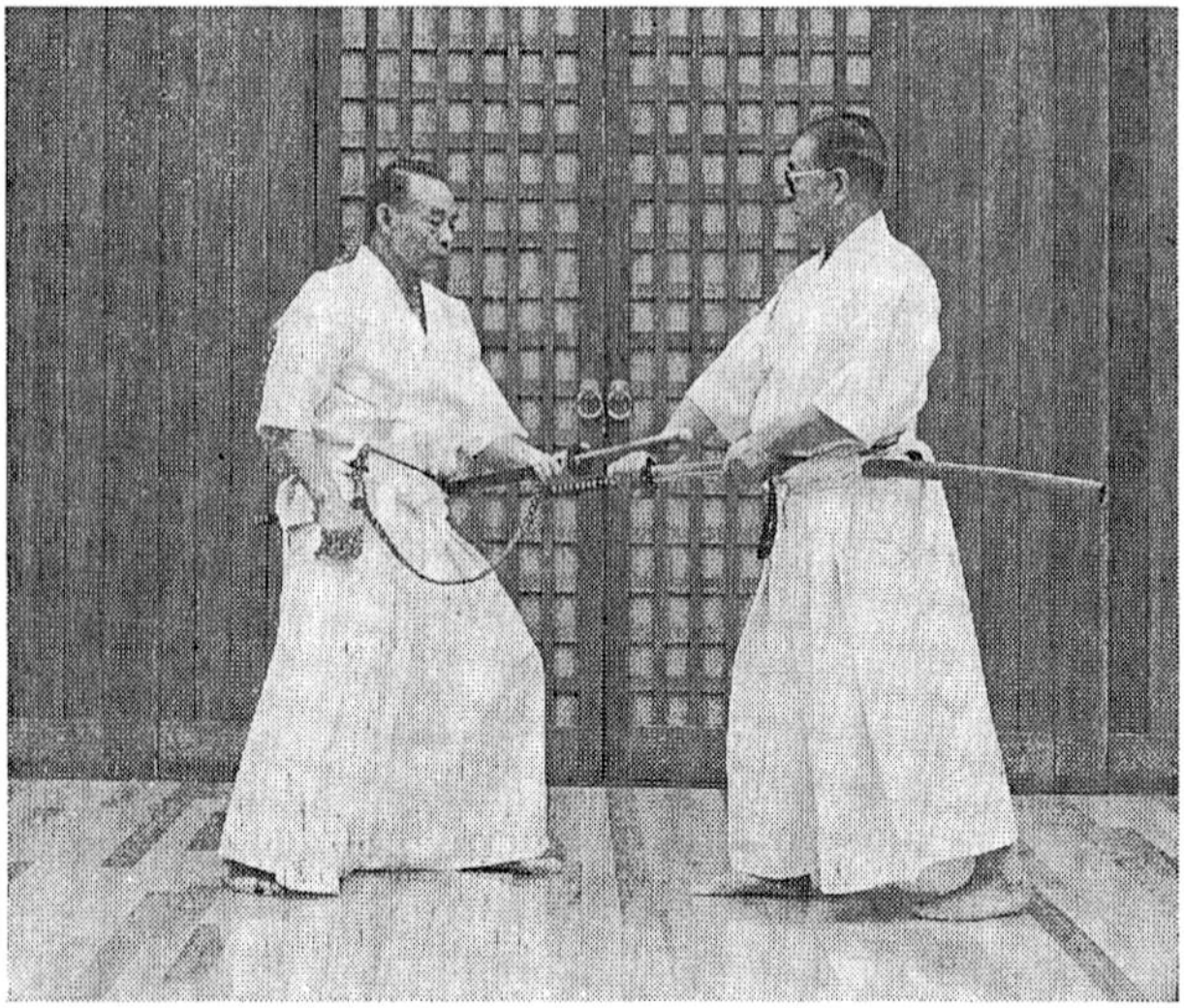

写真①　敵の出鼻を柄打ちする

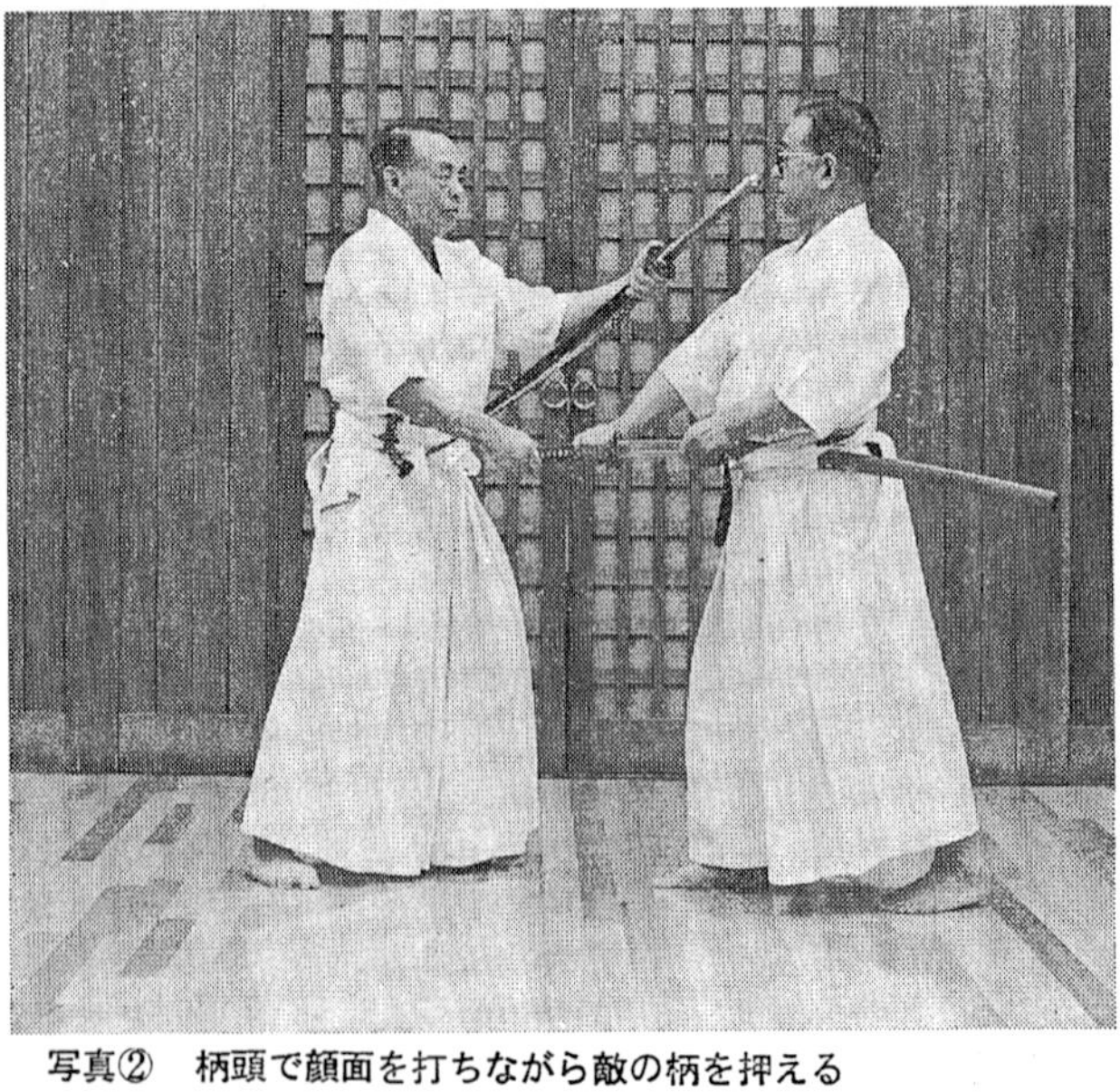

写真②　柄頭で顔面を打ちながら敵の柄を押える

仕太刀、打太刀共に柄を手をかけて進み、間合にて打は抜付けようと二十センチ位抜きかけた拳を、仕は左手親指を鍔にかけ逆手柄にて打つと同時に左足を左斜に一歩踏出しながら右手で相手の抜きかけた柄を取り、相手顔面にエイの気合と共に柄打ちし残心を示す。次に柄の手を離しながら左手刀を正常に戻し互に五歩退く。

写真③　刀を腰に返す

写真④　握った右手をはなす

その七　神妙剣

写真①　起り前

写真②　敵の抜打ちに対す

写真③　敵の抜打ちをかわしながら抜く

仕太刀、打太刀共に前進、間合にて打は抜打ちに仕の頭上に斬付ける。仕は、打太刀の刀が鞘離れと同時に右足を右斜に踏出しながら刀を右足方向に抜き、刀先が鯉口を離れると同時に刀先背に左手を添え左足を踏込みながら打ののど元にエイの発声と共に付け残心を示す。仕は三歩後退、相正眼となり五歩後退し血振り納刀する。

写真④　抜いた刀先に左手を添えてのどにつける

写真⑤　残心しながら敵の刀を殺す

その八　返討

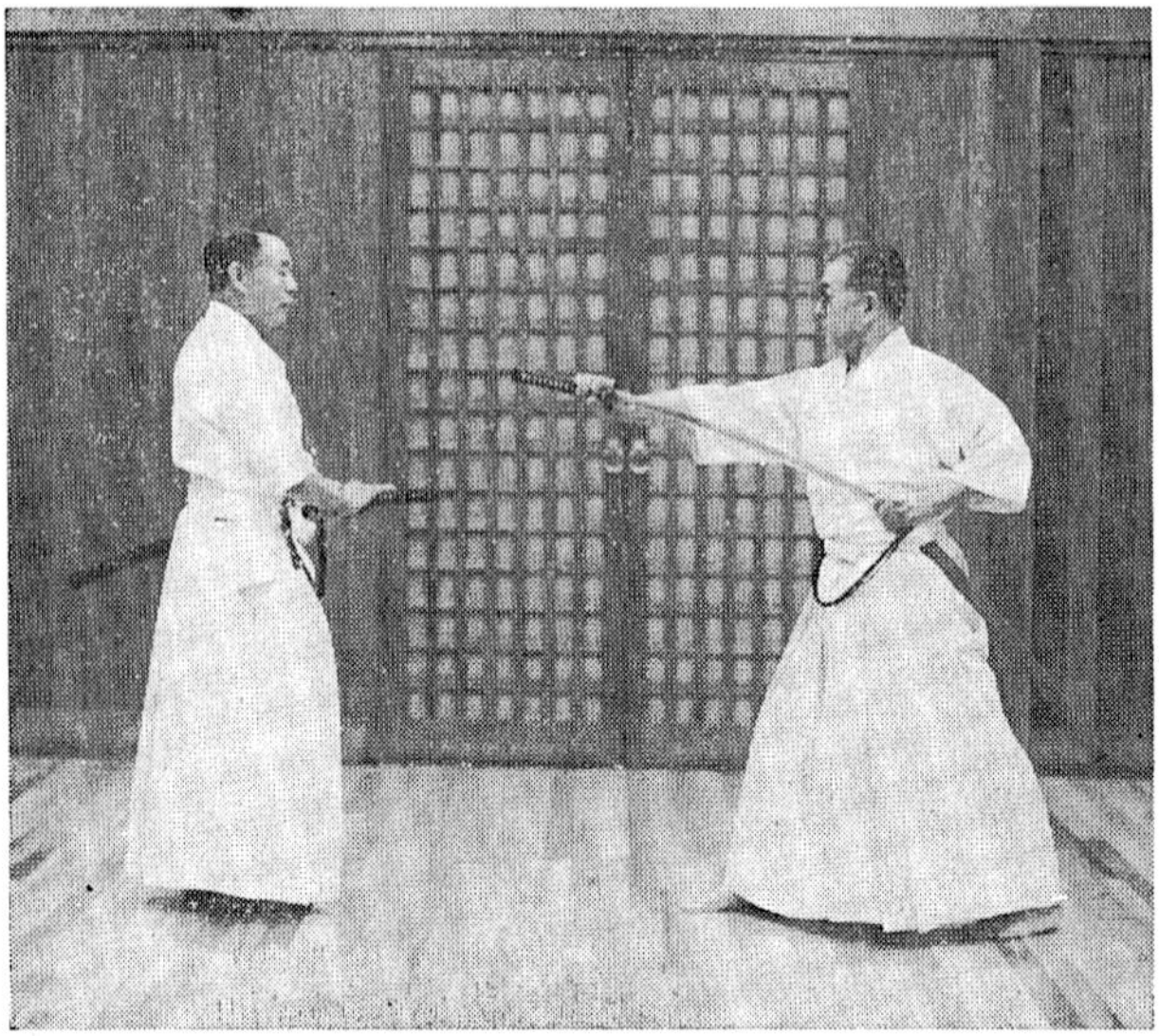

写真①　敵の抜打ちに対する起り

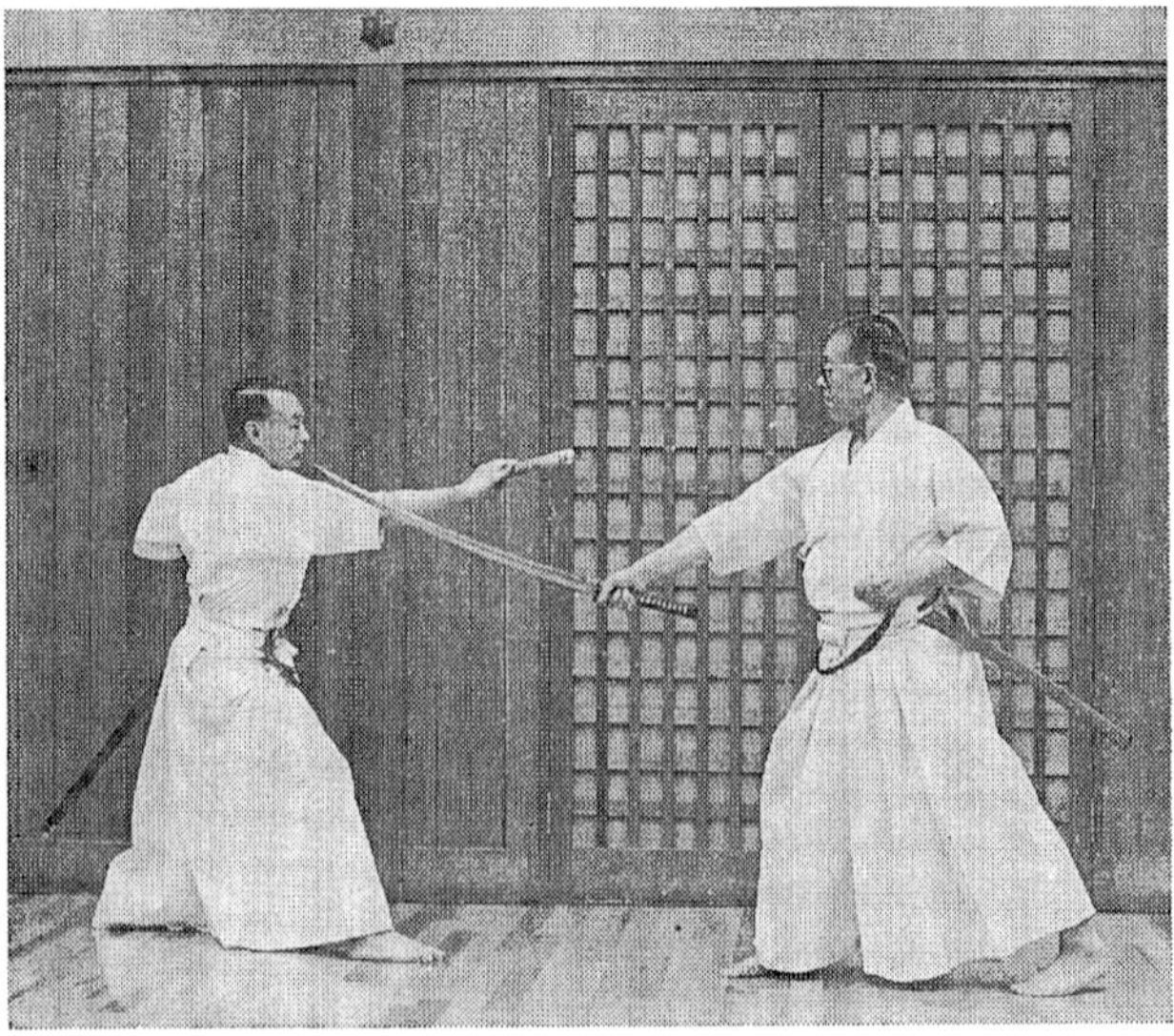

写真②　抜き打ちに対し左後方にかわしながらの抜打ち前

仕太刀、打太刀共に刀に手をかけて前進し、間合にて打は抜打ちに仕の頭上に斬付ける。仕は相手の刀が鯉口を離れると同時に左足を左後方に一歩引きながら、相方の空を斬った頭上に抜打に斬付ける。仕は二歩後退し、相青眼となり残心を示し、互に五歩後退、血振して納刀する。

写真③　抜打ち

写真④　相互青眼

その九　青眼

写真①　相互構え

写真②　敵の目に付け牽制する

写真③　敵八相より斜めに刀を打下して来るのを一足退いてかわし上段より斬下す

仕太刀は正眼から剣先を目につけ、打太刀は八相で共に前進し、間合にて打は我が目に付けて来る相手の剣を八相より打落すを、仕は相手の剣が我が剣にふれる直前に右足を引き、左足に揃えながら振冠り、相手の空を斬った正面に斬付ける。仕は二歩退って相青眼となり、互に五歩後退、血振して納刀する。

写真④　相互構えに返る

写真⑤　血振り

詰居合の位

一、八相（口伝に発早とあり）

写真①

写真②

写真③

打太刀、仕太刀とも納刀より始める。互に鞘に納めて詰合いて相向い右膝を立てて座り（写真①）、互に左足を一歩退いて逆まに抜き合す（互に右膝に抜き付ける）（写真）。そのまま膝をつき仕太刀は冠って面に打込む。この時打太刀は十字に頭上にて請け留める（写真③）。互に合せ（写真④）血振し（写真⑤）足を退いて納刀する。

写真④

写真⑤

二、拳取

打太刀、仕太刀とも納刀より始まる。一本目と同様、詰合いて座り、互に膝に抜き付け（写真①）、そのまま仕太刀は左足を踏み込んで打太刀の手首を左手で制し（握る）刺突の姿勢をとる（写真②）。以下同じ。

写真①

写真②

三、岩　浪

打太刀、仕太刀とも納刀より始める。前と同様に抜き合せ（写真①）、打太刀は仕太刀の手首を左手にて取る（写真②）。仕太刀は刀を捨て、打太刀の手首をとり右手を添えて左脇に引き倒す（写真③）。以下同じ。

写真①

写真②

写真③

四、八重垣

打太刀、仕太刀とも納刀より始める。前と同様左足を退いて逆まに抜き合せ、打太刀が面を打って来るを仕太刀は刀尖に左手を添えて受ける（写真①）。それから打太刀は直ちに仕太刀の右脇を斬る。仕太刀はそのまま刀

写真①

写真②

を直にし左手を添えてこれを受け留める（写真②）。この時右足を一歩退く。打太刀は又左脇を打って来るを仕太刀は又左足を一歩退いて刀を逆まにして左脇を受け留める（写真③）。打太刀は又上段より面に打込むを仕太刀は右足を退いて上を受けて、振り冠る所を右足より附込んで勝つなり（写真④）。次に刀を互に分せ、元の位置にかえり血振り納刀する。

写真③

写真④

五、鱗返

打太刀、仕太刀とも納刀より始める。前と同様に抜き合せ（写真①）打太刀は直ちに仕太刀の面に上から斬下す。仕太刀は直ちに太刀の切先に左手を添え十文字に受けて（写真②）、左足を踏み込み摺り込んで勝つなり（写真③）。以下同じ。

写真①

写真②

写真③

六、位弛

打太刀上段より、仕太刀座納刀より始める。打太刀は上段にて立ち、仕太刀は座す。打太刀はスカスカと進んで来て拝み打ちに打つ。仕太刀はその時当る位にて直ちに立ち、そのまま左足を一歩退いて刀を抜き、打太刀に空を斬らせ（写真①）、直ちに右足を一歩踏み込んで面に斬り込み勝つなり（写真②）。打太刀はこの時刀を合せ五歩退いて血振、納刀する。打太刀はその位置でも又五歩退いてもよい。

写真①

写真②

七、燕　返

打太刀は左上段、仕太刀は納刀より始める。打太刀、仕太刀とも立ち、打太刀左上段となる。仕太刀は鞘に納めて相掛りにて進み、間合にて打太刀は仕太刀の面に打込む。仕太刀は右片手にて抜き頭上にて請け（写真①）直ちに左手を柄に添えて打込む。打太刀また表より八相に払い、仕太刀は直ちに振り冠って打込む。打太刀は又裏より八相に払い、仕太刀は左足を一歩踏込んで面に打込む。この時打太刀は後に退き仕太刀は空を

写真①

打つ。その時仕太刀は切先を下げて待つ。打太刀は一歩踏み込んで仕太刀の真向に打込む。仕太刀はその時左足より一歩退いて空を打たせ（写真②）、直ちに振冠って一歩踏み込み面に打込んで勝つなり。互に五歩退いて納刀し、再び刀を抜き相上段にて次の業に移る。

写真②

八、眼関落

打太刀、仕太刀とも上段より始める。互に立って相上段に冠り、相掛りにてスカスカと進み、間合にて互に拝み打ちに打っ（写真①）。（この時打太刀と仕太刀の拳は行き合う）仕太刀は直ちに柄頭を打太刀の手元より顔にはね上げ、柄頭に当てて勝つなり（写真②）。仕太刀は右足をトンと踏み、急に左足を踏み込んで互に五歩退き納刀する。以下同じ。

写真①

写真②

九、水月刀

打太刀、仕太刀とも相上段より始める。前と同様相掛りにて（打太刀待ちかけてもよい）スカスカと進み、間合にて仕太刀は太刀先を打太刀の眉間に突込む（写真①）。この時打太刀は直ちに八相に払うを仕太刀はすぐさま冠って打太刀の面に斬込んで勝つなり（写真②）。互に五歩退いて動作すること同じ。

写真①

写真②

十、霞　剣

打太刀、仕太刀とも相中段より始める。互に立ち、相青眼にて前と同様相掛り（打太刀待ちかけてもよい）にてスカスカと進み間合にて双方拝み打つ（互に太刀の物打のあたりにて）（写真①）。それより中段に直るや仕太刀は左足を踏み込み裏から払って（写真②）勝つなり（写真③）。互に五歩退き相中段にとり次の業に移る。

写真①

写真②

写真③

十一、討込（留めの打なり）

打太刀、仕太刀とも相中段にて双方真向に打込んで物打を合す（写真①）。互に五歩退き相中段にとり（写真②）血振り（写真③）納刀する。

写真①

写真②

写真③

大小詰

一、抱詰

互に対座し（写真①）打太刀は仕太刀の柄を両手にて取ろうとする（写真②）。すぐに仕太刀は両手にて打太刀の二の腕を下から差し上げるようにつかみ我が左脇に引き倒す（写真③）。

写真①

写真②

写真③

二、骨防

互に対座し打太刀は両手にて仕太刀の柄を握る。仕太刀は右拳を顔にあて（写真①）その怯む所に乗じ右足を柄越しに跨ぎ右足内側より右手を柄に添え右足にて打太刀の両手を押し払うと同時に柄を防ぎ取る（写真②）。この時打太刀は我が右脇に這い倒れるなり（写真③）。

写真①

写真②

写真③

三、柄　留

打太刀は仕太刀の右側に並んで座り、仕太刀の抜かんとする柄を留める。仕太刀は右手を頸に巻き敵を前に倒そうとする（写真①）。打太刀は倒されまいと後に反る。その時すぐに仕太刀は打太刀の体の反って前足の浮いた下より（膝）柄をかけて後へ倒す力を添えるなり（写真②）。

写真①

写真②

四、小手留

打太刀は仕太刀の左側に並んで座り、打太刀の抜かんとする右手を仕太刀は向き直り右手にて捕えて引き寄せると同時に（写真①）右手にて柄頭を敵の脇坪に当てるなり（写真②）。

写真①　(表)から見る

写真②　(裏)から見る

五、胸　捕

互に対座す。打太刀は仕太刀の胸を捕えて突く。仕太刀はすぐに右手にて支え左手に持った柄頭を敵の脇坪に当てる（写真①）。また胸を捕って引く時はすぐに刀を抜いて突くなり（写真②）。

写真①

写真②

六、右伏

打太刀は仕太刀の右側に並んで座す。打太刀左手にて仕太刀の胸を取る。仕太刀はすぐにその腕を巻き込んで逆手をとり前に伏せるなり（写真①）。

写真①

七、左伏

右伏の反対の業なり（写真①）。

写真①

八、山影詰

打太刀は仕太刀の後ろに座し後より組み付く（写真①）。その時仕太刀は頭を敵の顔面に当て敵の怯む所をそのすきに我刀を抜いて打太刀の組んだ手を斬るなり（写真②）。

写真①

写真②

大小立詰

一、〆捕

互に対座する。打太刀が両手にて仕太刀の柄を握るを仕太刀は左手で打太刀の左手首を握り右手にて打太刀の両腕を締め込み（写真①）我が体を台にしてこれを極めるなり（写真②）。

写真①

写真②

二、袖摺返

打太刀が横より組み付くを仕太刀は肘を張って一当てすると同時に（写真①）すぐ打太刀の足にかけて後に投げるなり（写真②）。

写真①

写真②

三、鍔打返

互に対座し打太刀は仕太刀の抜かんとする右手首を取る（写真①）。仕太刀は右手を放すと同時に左手に持った鍔にて打太刀の手首を打つなり（写真②）。

写真①

写真②

四、骨防返

互に対座し打太刀は仕太刀の柄を両手にて取りに来る（写真①）。仕太刀は右手にて打太刀の両手を越して柄頭をとり両手にて上に捥ぎとるなり（写真②）。

写真①

写真②

五、蜻蜓返

打太刀は仕太刀の後より仕太刀の右手首を右手でとり後に引き左手で鐺をとり前に押し（写真①）直ちに右足で掬い中に入る（写真②）。鐺を後に引き右手首を前に押す時は左足で中に入るなり（写真③）。

写真①

写真②

写真③

六、乱　曲

前後に立って行き、打太刀後より鐺をとりクルクル廻して引く（写真①②）。仕太刀はその時すぐに後に向いて左右何れかを見定め、左右に従って各々中に入って勝つなり（写真③）。左右二種あり。口伝あり。

写真①

写真②

写真③

七、電光石火

打太刀後より組付くを（写真①）仕太刀体を下げ右手を取って前に投げるなり（写真②）。

写真①

写真②

詰の位

一、抱詰

互に帯刀、立膝にて対座する。打太刀、仕太刀の刀柄を両手で取りに来るを、仕太刀すぐ両手にて打太刀の二の腕辺を下から差し上げるように摑み、右足を僅かに左にして左脇に投げ倒し、その腹辺に右膝をつけ、左手親指を鍔にかけて柄頭で打太刀人中を一撃する（写真②）。

写真①

写真②

二、脇坪

互に帯刀。打太刀、仕太刀の左側に座る。打太刀が抜付けて来る右手を仕太刀は右手で捕え、向きなおると同時に左手親指を鍔にかけ、柄頭にて打太刀脇坪にあてる（写真①）。

写真①

三、胸取

互に帯刀で対座する。打太刀、仕太刀の胸を捕えて押して来るを、仕太刀は直ちに右手を床に支え、左手親指を鍔にかけて柄頭を打太刀の右脇坪にあてる（写真①）。又胸を捕えて引くときに、すぐ引かれながら太刀を抜いて、刀先背に左手を添えて打太刀ののどにつける（写真②）。

写真①

写真②

四、詰懸

打太刀、仕太刀の右側に座る。打太刀左手にて仕太刀の胸を取りにきたとき、仕太刀は左手にて、その手を内に巻き込み、右手にて打太刀の肘をおさえつけて前横に引倒し、逆手にひねりながら右膝を打太刀の腹部につける（写真①）。

写真①

五、燕返

仕太刀が座っていると、打太刀、後方より両手で仕太刀の刀の小尻をとるを、仕太刀左手親指を鍔に、右手を柄にかけて強く右下方に押しつけるようにしながら左方に廻す。次にそのまま右に廻し返り、上方右に廻しながら立上り、更に左に廻すようにして打太刀を倒し、すぐ後方に向きなおり抜打に討取り（写真①）、血振り納刀する。

写真①

六、逆手そり

互に帯刀にて進み、間合にて打太刀が抜きつけて来るを、仕太刀左足を左前方に踏出すと同時に右手で打太刀の刀の柄を逆に握り、上方打太刀の頭上辺につけながら、左手にて打太刀の後腰を、かかえるようにおさえる（写真①）。

写真②

七、物見打

互に帯刀にて進み、間合にて打太刀が両手で仕太刀の刀柄をとる。仕太刀は直ぐに左手親指を鍔にかけ（写真①）、右手を柄頭を逆に持ってそのまま右下に下げ直ぐ左向きながら、大きく右廻しに正面向きとなり、打太刀の胸辺に押しつけて打太刀の体をそらし乍ら胸を取り、直ぐ右足で足払いをするように腰を入れて左方に投倒し、抜打に斬付け（写真②）血振り納刀する。この時、左手の親指にて鍔をおさえるが、親指が鍔から離れると怪我をすることに注意を要す。

写真①

写真②

第七章　居合道審判及審査の意義

何の道にも審判は公平無私で臨むことが大切である。居合の場合は他の勝負審判と異り比較検討によるもので、そこにむづかしさがある。剣の道は礼に始り礼に終る、とされているが、殊に居合の礼法は諸法の礼法の最高とされているだけに、その礼儀作法、服装、態度等に充分注意を要するものである。

次に技前は各々それぞれ正確さが原則である。抜付、斬付、血振、納刀、受流とそれぞれの刃筋、角度、残心、間合等充分注目することが大事である。技は大きく、強く、正しく、それが斬れる刀であることだ。よく見受けることだが、斬下しの斜に曲っているものなど問題外である。剣道にもある様に、当ってはいるが、心、気体がともなわない場合など、案外よい様に見えても気合がのっていない。又体構え、殊に下半身の角度に乱れのある場合は採点にならない。

次に心構えは全身に心気充実して、落着きと立派な態度で気力、着眼、残心、間合等特に注意を要する。

審判員の特注

居合の試合は、常日頃の修行の力量を最高度に発揮して勝敗を決定し優劣を評価するものであるから、その審判の正否は如何に重大であるばかりでなく、今後の居合道の発展に極めて大きな影響を持つものである。従って審判員はその重要性を深く自覚認識し、居合道の理念に基づいて公平無私、いささかも私情にとらわれる事なく正確な審判に当り、居合の権威高揚に勉めると共に、正直者が馬鹿を見る事のない様心得るべきで、その責任が如何に重大であるかを自覚すべし。

居合道審判・判定の基準

修行の深さ

一、礼　儀

①　正しい作法

②　正しい態度

③　正しい服装

二、技　前

(1)　正しい抜付―引手はどうか―右手の高さと、その角度―剣先が目標に達しているか―下半身の備えと各々の角度は適合か。

(2)　正しい斬付―斬下しは左右何れかに曲っていないか―斬下した剣先の高さは適当か。

(3)　正しい鞘放―引手と刃筋の調和は合法か。

(4)　正しい血振り―血振りの拳の高さは―左手の備えはどうか。

(5)　正しい納刀―合法な納刀であるか。

三、心構え

(1)　落着―平常心―心の動静は―浮いた気持はないか。

(2) 目付—目の開きはよいか—座位の目—対敵の目—動作中の目付等の注意。

(3) 気魄—全身に気力みなぎっているか—対敵気の配りはどうか。

(4) 残心—終始油断のない気合充実しているか。

(5) 間合—心、気、体、対敵の間（仮想敵の間合）は合法か。

四、技の総体の流れはよいか、技に角あり、そして丸味がなければならない。

右の諸点に十二分に注意判断を要す。

判定の基準

(一)礼法		
礼儀作法	服装	神、師、相互

(二)技前			
姿勢	抜付 斬付 血振 納刀	鞘放 刃筋	各々の 角度 間合

(三)精神			
礼儀	目付 迫力 残心	落着	態度

(四)修行の程度			
気剣体の合一	居合の流れ	合法の居合	

武道として合理的な居合であること。

第八章　居合道試合・審判規則

試合規則

第1章　用具および服装

第1条　使用する刀は、真剣または模擬刀とする。

第2条　服装は、稽古衣、袴とする。

第2章　試合方法および勝敗の決定

第3条　個人試合は、段別または無差別での試合とし、審判員の判定により勝旗数の多い方を勝ちとする。

第4条　団体試合は、次の方法により勝敗を決する。

(1)予め定められた順位によって各個人の試合を行い、勝者数の多い方の団体を勝ちとする。

(2)リーグ戦またはトーナメント法による各個人の試合を行い、勝数の多い団体を勝ちとする。勝数が同じ場合は、総勝旗数の多い団体を勝ちとする。

第3章　試合時間および試合の開始ならびに終了

第5条　試合時間は、5分を基準とする。

第6条　試合は、主審の「始め」の宣告で開始し、「勝負あり」の宣告で終了する。

第4章　判定の規準

第7条　勝敗の判定規準は、概ね次の諸点とする。

1　修業の深さ
2　礼儀(正しい態度・作法)
3　技前
(1)正確な抜きつけ、切りつけ
(2)正確な鞘放れ・刃筋
(3)正確な血振り・角度
(4)正確な納刀
4　心構え
(1)心の落着き
(2)目付け
(3)気魄・残心・間合
5　気・剣・体の一致
6　武道としての合理的な居合であること

第５章　反則

第８条　相手または審判員の人格を無視するような言動は反則とする。
第９条　その他試合の公正を害すると思われる行為は反則とする。

第6章　罰則

第10条　第5章の反則行為があった場合は、合議の上、反則を犯した者を負けとし、退場を命ずる。ただし、第8条の反則を犯した者の既得権は認めない。

第7章　試合中負傷または事故を生じた場合

第11条　試合者は、事故のため試合を継続することが不可能となった場合、試合の一時中止を要請することができる。

第12条　負傷が軽微で試合に堪えられるにもかかわらず、試合の継続を拒み、試合の中止を申し出た者は負けとする。

第13条　審判員は、協議の上、その負傷が軽微で試合続行が可能と判断した場合、小時休止の後、試合を再開させることができる。

第14条　負傷によって試合が継続できないとき、その原因が一方の故意および過失による場合は、その原因を起した者を負けとし、その原因が明瞭でない場合は、試合不能者を負けとする。

第15条　負傷以外の事故で試合の中止を申し出た者は負けとする。

第8章　異議の申し立て

第16条　審判員の判定に対する異議の申し立ては認めない。

第17条　本規則および試合の要領の実施に関して疑義のある場合は、定められた本数を抜き終った直後から審判員の判定前までに責任者を通じて審判長（審判主任）に異議の申し立てができる。

第18条　審判長（審判主任）が異議の申し立てを受けた場合、主審は副審と合議の上、明確な判定と宣告をする。

第9章　審判

第19条　審判長は、公正な試合を遂行するために必要な一切の権限を有する。

第20条　審判主任は、試合場が2試合場以上の場合に置かれ、審判長を補佐し、それぞれ当該試合場における審判上の責任を負うものとする。

第21条　審判員は、原則として主審1名、副審2名とし、いずれも同等の権限を有し、その判定に当たる。

第10章　係

第22条　時計係は、原則として主任1名、係員2名以上とし、試合時間の計時に当たり試合時間終了の合図をする。

第23条　掲示係は、原則として主任1名、係員2名以上とし、試合の結果を正確に掲示するものとする。

第24条　記録係は、原則として主任1名、係員2名以上とし、試合の結果を正確に記録するものとする。

第25条　進行係は、原則として主任1名、係員2名以上とし、試合が遅滞なく行われるようにする。

付　則

1　この規則は、昭和49年2月1日より施行する。

2　この規則は、昭和63年11月1日より施行する。

審判規則

第1条　審判員は、試合規則に従って勝敗を決定する。
第2条　審判員の構成は、原則として3名とし、主審1名、副審2名をもって構成する。
第3条　主審は、試合運営の全般を司り、試合の開始、勝敗ならびに終了の宣告をする。
第4条　審判員は、旗の表示数により勝敗を決定する。
第5条　審判員は、次の要領により、審判を行う。

1　主審は、試合者が相互の礼を終え、開始線の位置についたとき、「始め」と宣告し、試合を開始させる。
2　主審は、試合者が予め定められた本数を抜き終え、神座(正面)への礼を行い、正面を向いたとき、「判定」と宣告する。
3　審判員は、勝敗を決する場合、主審の「判定」の宣告により、三者同時に旗によって意思表示を行う。
4　主審は、旗の表示数により、勝敗を宣告する。

付則

1　この規則は、昭和49年2月1日より施行する。
2　この規則は、昭和63年11月1日より施行する。

審判要領

1 各試合場の審判主任は、試合開始前に、審判長より審判旗を受領する。

2 主審は、主任より審判旗を受領する。

3 主審は、机の前より副審2名に審判旗を渡す。

4 審判員は、机の上に、赤旗を右の方に広げ、白旗を左の方に広げて置く。

5 主審は、試合者が開始線に位置したとき、立って「始め」と宣告する。

6 試合者が技を終え、神座(正面)への礼を終えた後、主審は、立って「判定」と宣告する。

7 審判員は、次の方法により旗の表示を行う。

(1)主審の「判定」の宣告により勝者側の旗を、体側上方45度の角度に一直線に上げる。

(2)主審の「勝負あり」の宣告と同時に旗をおろす。

8 主審は、次の要領で宣告を行う。

(1)赤(白)旗3本の場合、「3対0《レイ》、赤(白)の勝ち、勝負あり」と宣告する。

(2)主審が赤(白)勝ち、副審2名が白(赤)勝ちの表示をした場合、主審は、「2対1」と言った後、赤(白)旗を一旦おろし、白(赤)旗を上げると同時に「白(赤)の勝ち、勝負あり」と宣告する。

9 危険を感じた場合、審判員は、両旗を真上に上げると同時に「止め」と宣告し、試合を中止させる。

全日本剣道連盟居合審判審査上の着眼点

財団法人全日本剣道連盟

礼法……定められた礼法の通り行っているか。

一本目（前）

(1) 抜き付けの時、充分に鞘引きをしているか。
(2) 左の耳にそって、後ろを突く気持で振りかぶっているか。
(3) 振りかぶった切先は水平より下がっていないか。
(4) 間を置くことなく切り下しているか。
(5) 切り下した切っ先は、わずかに下がっているか。
(6) 血振りの体勢は正しいか。
(7) 正しく納刀しているか。

二本目（後）

(1) 刀を抜きながら、向き直ると同時に、左足をやや左寄りに踏み込んでいるか。
(2) 敵のこめかみに正しく抜き付けているか。

三本目（受流）

(1) 受け流しの体勢にて、上体をかばった姿勢になっているか。
(2) 左足を右足後方に引き、袈裟切りになっているか。
(3) 左こぶしはへそまえで止め、切っ先がわずかに下がっているか。

四本目（柄当）
(1) 柄頭が敵の水月に確実に当っているか。
(2) 後ろの敵に対し、左手は鯉口を握ったまま、シボリ込むようにへそまえにおくり、右肘を伸ばして突いているか。
(3) 前の敵に対しては、刀を引き抜きながら頭上に振りかぶり真っ向から切り下ろしているか。

五本目（袈裟切）
(1) 逆袈裟に切り上げた時、刀をかえした右こぶしは右肩の上方になっているか。
(2) 左足を引きながら左手が鯉口を握ると同時に刀を袈裟に血振りをしているか。

六本目（諸手突）
(1) 敵の右斜め面を抜き打ちした時、あごまで切り下ろしているか。
(2) 中段になりながら後ろ足を前足に送り込んで確実に水月を突き刺しているか。
(3) 刀を引き抜きながら受け流しに振りかぶっているか。

七本目（三方切）
(1) 右の敵に抜き打ちした時、あごまで切り下ろしているか。
(2) 左の敵に向き直り、間をおくことなく真っ向から切り下ろしているか。
(3) 受け流しに振りかぶり、切り下ろした刀は水平になっているか。

八本目（顔面当）
(1) 柄頭で両眼の間を正しく突いているか。
(2) 後ろの敵に対し右こぶしを正しく右上腰にとっているか。
(3) 後ろの敵に完全に向き、かかとをわずかに上げて突いているか。
(4) かぎ足で突いていないか。

九本目（添手突）

(1) 右袈裟に抜き打ちしたとき、右こぶしはへその高さとなり、切っ先は右こぶしよりわずかに上っているか。

(2) 左手が刀身の中程を親指と人差指の間で確実にはさみ、右こぶしは右上腰に当てているか。

(3) 腹部を突き刺したとき、右こぶしはへそまえで止まっているか。

(4) 残心の時右肘が曲ったり、右こぶしが右乳より高くなったりしていないか。

十本目（四方切）

(1) 柄当の時強く確実に柄の平で打っているか。

(2) 鞘引きした時、物打付近の棟を左乳に当て右手が体より離れているか。

(3) 突いたとき、左手は鯉口を握ったまま、へそまえに送り左右のシボリ込みが出来ているか。

(4) 脇構えを取ってからではなく、脇構えになりながら振りかぶっているか。

昭和六十三年九月十七日

第九章　居合道学科試験問題解答の部

〈一〉　居合道の意義について述べよ

〈答〉　居合の至極は常に鞘の内に勝を含み、抜かずして天地の万物と和する所にあり。その目的は武徳修養の一点に帰するものである。始祖創剣の妙力を練磨して、形より心に入り、技より心を養うとの教えの如く、日本刀により正しい刀法と共に、体の運用をきわめ、心剣一如の妙を悟り、品格の練成に務め、各人の天職に奉じ、処世の大道を正しく歩むことにより、真の居合道の意義がある。

〈二〉　居合修業の目的を述べよ

〈答〉　居合修業の目的は自己完成、即ち神の心になることである。居合修業によって心身を鍛練し、人格の向上につとめて、真の日本人になることである。居合は剣道の奥であり、先ずその技法を正しく修め、身体を強健にし、立派な精神を養い、社会国家に貢献する健全なる人造りである。居合は攻撃防禦の術から始まり、身心の鍛練を第一義とし、即ち日本刀の性質を熟知して、あらゆる機会における刀の操法と共に身体の運用を極め厳格なる礼儀作法と用意周到なる注意精神緊張統一との下に、種々の体勢で機敏に練習するもので、鞘離れの一瞬は最も貴ばれるものである。

〈三〉　居合と剣道との関係を説明せよ

〈答〉　居合は剣道の奥の院ともいわれ、表裏一体、車の両輪であって、その本来の目的は同一である。剣道は相互に構え合っての勝負であるが、居合は、居ながらにして合すの術で、いついかなる場合でも、又いかなる場所に於てでも対処するものであり、そして相手は仮想敵である。又剣道が打ち合いの技であるのに対し、居合は斬落す術で、各々手の内が違っている。

＜四＞　居合の始祖神、神社名、所在地、その時代等を述べよ

＜答＞　居合の始祖神　林崎甚介重信先生

神社名　日本一社林崎居合神社

時　代　永禄四年　約四百二十年前

所在地　山形県村山市楯岡町

＜五＞　居合刀の長短について述べよ

＜答＞　居合刀は長短何れでも自由に使用できなければならない。居合は、全身全霊を充分に活用するものであるから長刀を使用するのがよい。そうすれば技も大きくなり、健康にもよく、又長い刀を使用していれば短い刀は楽に使えるものである。剣聖中山先生は御自分の経験から申されたことに、自分の身長から三尺を引いた長さの刀を適当とするといわれた。然し初心者には無理なことで、初心者の場合はそれより一寸位短かいもの、その人により或はそれ以上短かいものを使用させ、上達するに従い順に長くする様にすればよい。

〈六〉　居合道指導上注意する点を述べよ

〈答〉　居合道修業上最も重要なことは、礼儀を重んずることである。神前に対し、恩師に対し、刀に対し、相互に対しての始礼終礼である。この礼法を常に真心をこめて行うことである。それが姿勢、態度に現われ、処世道にも通じることになる。又技は正確に強く大きく行うことで、正座の大森流を居合の基本技として、時間をかけて修行するよう指導し、これが先ず出来るようになってから英信流にと順々に進むよう指導するのがよい。ところが、正座の大森流を確実に出来ないうちに英信流に、そして奥居合に進めたとしたら、各々の技は出来たとしても、その中身は問題であって、技の上でも心の上でも充分とはいえず、やはり基本技を充分修練して、体構え、心構えが充実してから後、順々に前に進む様修行することである。

〈七〉　目付けについて説明せよ

〈答〉　居合の目付けは二・七〇メートル先方床とするが、八方に心眼を注ぎ、遠山を望む気持ちになることである。剣道にも、見るの目弱く、観るの目強くとあるように半眼に目を開き心の目で観ることである。動作中の着眼は敵の全体であるが、その中点は、敵の目とする。正座の場合、立技の場合、何れの場合でも、我と同じ高さの仮想敵の面である。斬下した場合はその刀のあとを追うように、又倒れた場合敵を見越した地点とする。

〈八〉　居合の抜付け、斬付けについて述べよ

〈答〉居合の生命は抜付けの一刀にある。故にその抜付けは心気充実全力を注ぎ、鞘放れの横一文字に斬倒すのである。居合は鞘の内にありで、鞘の内に勝負は決し、抜いたら、鞘離れたら倒しているものである。更にこれを真向から斬付ける止めの一刀、これが何れも居合の生命といわれている。

〈九〉居合の間合について述べよ

〈答〉間合とは我と彼との距離、合間と見てよい。剣道では一足一刀の間と申して居るが、居合の場合は腰の一刀が鞘を離れて斬付ける間合である。剣道の遠間に比して居合は近間であって、敵を誘引し、適当の間に至った時、腰の捻転により抜付けて倒すもので、その間合は各自修練によって自ら自得するものである。

〈十〉残心について述べよ

〈答〉居合は常に油断のない心を養うことが大切で、この練習を積めば隙のない心構えが自ら養われるもので一動作ごとに油断なく真剣に、始めの抜付けから納刀に終るまで気をゆるめず、全身に心気充満していることが大切である。一人の敵を倒し安心していては他の敵にしてやられる。終始一貫、充実していることである。

〈十一〉居合にはどんな流派があるか

〈答〉夢想神伝流、無双直伝英信流、伯耆流、田宮流、無外流、水鴎流、等。

〈十二〉　自己の修得した流名を書け

〈答〉　夢想神伝流、無双直伝英信流、伯耆流など、自分が修業している流名を書く

〈十三〉　居合の流祖は誰か

〈答〉　林崎甚助重信

〈十四〉　初伝（大森流）の種目をあげよ

〈答〉　初発刀、左刀、右刀、当刀、陰陽進退、流刀、順刀、逆刀、勢中刀、虎乱刀、逆手陰陽進退、抜刀。

〈十五〉　中伝（英信流）の種目をあげよ

〈答〉　横雲、虎一足、稲妻、浮雲、山下嵐、岩浪、鱗返、浪返、滝落、抜打。

〈十六〉　全剣連制定居合の種目をあげよ

〈答〉　前、後、受流、柄当、袈裟切、諸手突、三方切、顔面当、添手突、四方切。

〈十七〉　血振について述べよ

〈答〉　血振とは、敵を完全に倒した後、刀の血を振り払うものであると共に右斜の一刀である。

〈十八〉　納刀について述べよ

〈答〉　納刀とは血振の後、行うもので、充分残心をもって静かに行うものである。

〈十九〉　居合道を始めた理由を記せ

〈答〉　刀剣が好きだから、精神修養のため、居合を見て心引かれたため等、自分が居合を始めた動機を書く。

〈二十〉　居合道の利点を記せ

〈答〉　稽古相手がいらず、年齢を問わず行うことができる。体の運用が大きいので、健康上大変よい。また、正しい礼儀・作法が身につき、不屈の精神力が養われる。いつ、どこでも、せまい場所でも自由にできる。

〈二十一〉　居合道と他のスポーツとの異なる点を記せ

〈答〉　日本刀をもって行うため、誤った操作や不注意な取扱いが重大な事故につながる。そのため、他のスポーツよりも真剣味が大きい。

〈二十二〉 居合道修業の心構えを記せ

〈答〉 居合道の意義、目的をよくわきまえ、形の末節にとらわれず、心身を充分に練るよう修練すべきである。油断があったら負けとなるので、とくに残心が大切である。

〈二十三〉 居合道の先生から受けた良い点を記せ

〈答〉 正しい礼儀・作法が身につき、健康が増進された。また、苦しいことがあっても、くじけない精神力、最後までやり抜く体力、周囲の人々に対する暖かい思いやり、等が養われた。

〈二十四〉 居合実施上の注意事項を記せ

〈答〉 ①正しい礼儀・作法で行うこと。②周到な準備と細心の注意をもって行うこと。③常に正しい姿勢を保つこと。④呼吸の調節に注意を払うこと。⑤太刀を詳細に点検すること。⑥精神統一を心がけて行うこと。⑦気力を充実させて行うこと。⑧常に真剣味を失わないこと。⑨道場の規則、先生の教えをよく守って行うこと。⑩悪いところがあったら早く矯正するように心がけ、目標を定めて、常に向上心を持って行うこと。

〈二十五〉 「鞘の内」とはどんなことか

〈答〉 刀を抜かずに勝つ、すなわち抜刀前に気力で敵を圧倒し、鞘放れの一刀で勝ちを制するのが居合の至極である。だから、居合は「鞘の内」に勝があるという。

〈二十六〉　居合の呼吸について記せ

〈答〉　古来より「三呼吸」という教えがある通り、着座して静かに「二呼吸」の後、三度目の息を吸い終った頃から抜刀しかけるのが適当である。

〈二十七〉　鯉口の切り方を説明せよ

〈答〉　鯉口の切り方には、内切り（鍔を拇指で押し切る。相手に悟られぬように）、外切り（鍔に食指を押し付けるようにして切る）、控え切り（鍔に拇指をかけ、さらに食指で控えたようにして切る。衆人、群集の中などで抜刀する場合）の三種類あるが、居合の場合は主として外切りであって、内切りを加味して行うものである。

なお、学科試験を受けるに当たっては、本書四十三ページからの、居合の作法並に心得、居合の至極・目的、師伝、基礎修練、居合と健康等を熟読しておくこと。

猫の妙術

山岡鉄舟の猫の妙術という書に出ていることであるが、勝軒という剣術者がいて、その家にある時鼠が現れ白軒馳け廻って家族を驚かすので勝軒木剣を持って打ち殺さんと追い廻したが鼠素早いこと、電光石火、さすが勝軒いかんともなす術なし、そこで勝軒近傍の大猫を借り集め追入れたが、鼠は隅の背壁に陣を張って、猫が来ると飛びかかり喰い付くので、猫共は尻込みして進むものなし、全く手のつけ様とてなく散々の目にあい追いまくられたのである。そこで今度は七八町も先に無類の逸物の古猫ありと聞き、これを借りて来させた。この猫は形は鈍物の如くハキハキともせず、一見眠っているかに見える、が、さて古猫を入れると、さしもの鼠もすくみて動かず、何の苦もなく引獲えて来たので、皆皆驚き、その夜猫共勝軒の家に集り、古猫を座長にし、猫共は我等は今まで、どんな鼠をも取り損じた事はないが、今度だけは手も足も出なかったと、それぞれ自分の心境を語り、最後に古猫から教えを受けるという事になる。時に古猫莞爾と微笑して曰く、お話いたす程のこともなけれど、諸士は正直の手筋を知らざるために、達者に働いても思いの外の事に逢うて不覚をとるのだ。まづ諸士の修行の程を承らん。先づ黒猫進み出で、私は早くから早業を以って名を取り、桁や枠を走る鼠も捕り損じたことはないが、あの鼠にだけは、どうにもならなかったこと。古猫曰く、お前の修行は所作を教える其道筋と、其内の至理を知らしめんためである。然るに後世所作のみ専らにして色々の業を拵へ巧を弄し、才覚を用いるが巧尽きる時は如何ともすることが出来ない。

才は心の用なれども道に基かざれば偽の端となり、却て害をなすことが多いものである、と説いた。次に虎毛の猫罷り出て。

私は武術は気勢を貴ぶというから気を練ること久しうした。今其利轄達至極にして天地に充つるようである。されば声に随い響に応じ別に所作を用いる心なくして所作自ら湧き出るようであるが、彼の老鼠は来るに形なく住くに迹なしといったような工合である。あれは一体如何にしたものだろうと。

すると古猫又、お前の修練は気の勢に乗って働くもので、気の善なるものでない。こちら破ろうとすれば、敵も又破って来る。若し破るに破れざる時は如何だ。豈にこっちのみ強くして、敵皆弱いとは限らぬ。彼は明をのせて剛健である。窮鼠却って猫を嚙むというではないか。彼は死に迫って恃む所がない。生を忘れ、欲を忘れ、勝負を心とせず、その意金鉄のようなものである。このようなものは何うして気勢ばかりで服せるものか。といい聞かせた。次に灰色の猫が静かに進み出で。

仰せのごとく気は旺であっても象がある。私は心を練ること久しうして勢をなさず、物と争はず、相和して戻らず、私の術は帷幕を以って礫を受るがごときものである。如何なる強い鼠でも敵するものがなかった、が、今日の老鼠には全くなんともほどこす術がなかったと。

古猫徐にいうよう。お前の和というものは自然の和ではない。思うて和をなす者である。思うてなす時は自然に感をふさぎて臨機の妙用がない。思うことも為すこともなくして、感に随って働く時は象がない。象ない時は天下和に敵するものある筈はない。と一々説破して更にいうよう。我れ何の術をか用いようか、無心にして自然に応ずるのみ、

曾て我近郷に老猫が居たが、終日眠り恰も木にて作れる猫のようなりしがいまだ曾って鼠を獲りたる事を聞かず。然るに彼の居る近傍幾里に一疋の鼠もいなかったので、我れ行きそのゆえを問えるも彼は答えなかった。否答えないのではない。答うる所を知らなかったのじゃ。之即ち己を忘れ物を忘れ物無きに帰したのであろう。実に我れも亦彼れに到底及ばなかった。

勝軒はこの猫の話を夢のごとくに聞いていたが、我れ剣術を修する事久し、されど未だその道を極めず、今宵所説を聞いて悟道を得たり、願くばなおその奥儀を示し給え、といえば、古猫曰く、否、吾は黙なり鼠は吾が食なり、何ぞ人のことを知んや。されど剣術は専ら人に勝つことを務むべからず、大変に臨みて生死を明かにする術也。士たるものはそれによって心を養わざるべからず。第一に死の理を徹してその心に偏曲なく、不疑不惑なくば心気自ら平和にして物なく、瓢然として常ならば変に応ずること自在なるべし。此の古猫の教訓に、勝軒先生割然として大悟したというのである。

不動智神妙録

本書は沢庵和尚が柳生但馬守宗矩に剣の極意を禅に説いたものである。

仏法不動智と申す事は、不動とは動ずという文字にて候、智は智慧の智にて候、不動と申しても、石か木のように、無情なる義理にて之なく候、向へも右へも左へも十方八方一心に動き度きよう動きながら、斉度も止まぬ心を不動智と申し候、不動明王と申して、右の手に縄を取りて、歯を喰いしばり、目を怒らし、仏法を妨ぐ悪魔を降伏せんとて突立ち居られ候、姿もあの様なるが何処の世界にもかくれて居られ候にてはなし容をば仏法守護の形につくり体をばこの不動智の体として衆生に見せたるにて候、一向の凡夫は怖れをなして仏法に仇をなさじと思い、悟りに近き人は不動智を表わしたる処を悟りて一切の迷を晴らし、即ち不動智を明らめて此の身即ち不動明王程に、この心法をよく執行したる人は、悪魔もいやまさぬぞと知らんための不動明王にて候、然れば不動明王と申すも人の心の動かぬ所を申し候、又身を動転せぬことにて候、動転せぬとは物事に留らぬ事にて候、物一目見て其の心を止めぬを不動と申し候、なぜならば物に心が留まりて候ては、いろいろの分別が胸に候間、胸のうちにいろいろ動き候、止まれば止まる心は動きても動かぬにも候、たとへば十人して一太刀づつ我に太刀を入るるも一太刀を受候して、足に心を止めず、足を捨て足を拾い候はば、一人の打つ太刀をば受流すべけれども、二人目の時は手前の働抜け可申候、千手観音とて、手が千御入り候はば弓を取る手に心が止まらば、九百九十九の手は皆な用に立ち申す間敷く、一処に心を止めぬにより、手が皆用に立つなり、観音とて身一つに千の手が何うして有之候、不動智が開け候へ共、身に手が千ありても皆用に立つと云う事を人に示さんがために作りたる姿にて候が、仮令一本の木に向って、其の内の赤き葉一つを見ていれば、残りの葉は見えぬなり葉一つに目をかけずして一本の木に何心なく打ち向い候へば、数多の葉残らず目に見え候、葉一つに心を取られ候はば、残りの葉は見えず、一つ心に止めねば、百千の葉みな見え申し候、是れを得心したる人は、即ち千手千眼の観音にて候、然るを一向凡夫は唯一州に身一つに千の手、千の眼を御生して有難いと信じ候、又なまものしりなる人は身一つに千の手が何してあるらん虚言よと破り譏るや、今少し能く知れば凡夫の信じるにても破るにて、道理の上にて尊信し、仏法はよく一物にして其の理を現ずる事にて候、諸道とも、斯様のものにて候、此の道、其の道、さまざまに候へ共、極所に落付き候、扨て初心の地より修行して不動智の住に至れば立帰って住地の初心の位へ落つべく仔細御入り候、貴殿の歩法にて可申候、初心に持つ太刀の構も何も知らぬものなれば、身に心の止まる事もなし、人が打ち候へば、ついに取合うばかりにて、何の心もなし、然る処にさまざまの事を習い身に持つ太刀の取様心の置所、いろいろの事を教えぬれば、色々の処に心が止り、人を打たんとすれば兎や角して、その前不自由なる事を重ね、年月かさね、稽古するに従い、各々は身の構へも太刀の取り様も皆心のなくなりて、只最初の何も知らず習はぬ時の様になる也。これ初めて終りと同じ様になる心持ちにて、一から十までかぞへましまさば、一と十と隣り申候。調子なぞえの初めの低き一をかぞへて上無しと申す。高き調子へ行き候へば、一の下と一の上とは隣りに候。云々。

五輪の書について

この書は二天一流の開始宮本武蔵の晩年の著書で正保二年五月死の僅か前に門人寺尾孫之丞勝信に授けたものという。

五輪書は序に続いて地の巻、水の巻、火の巻、風の巻、空の巻の五巻よりなっていてそれぞれくわしく概略をのべてある。

「地の巻」はこの巻で、二天一流の根本的な考え方をのべている。それは原則に基き、目的達成のため、あらゆる手段方法を合理的に全機能を活用するということに付いてくわしく述べている。

「水の巻」は心と体の両面から己を如何に鍛錬するかに付いてくわしく説いている。心の持様から姿勢のこと、着眼、構え、刀法、足さばき、など多年の修練から生まれたもので迫力があり、含蓄がある。

「火の巻」は勝負、合戦の馳引を説き、「水の巻」の応用篇ともいえる。ここでは「一人で十人に勝つことにより、千人で万人に勝つことが可能」という理論をくり返し、日夜ひとり太刀を取って修業を積むことに依って大きな合戦にも勝てるようになると教えている。

「風の巻」は他流と比べることによって二天一流の考え方をより明確にしている。物事は実質こそが大切なことであり、それから離れたものは無駄な飾りに過ぎないことをいろいろな面から論じている。

「空の巻」は合理に徹し実利を追及して到達し得た空の境地を示し、迷いの雲の晴れたるところこそ実の空としるべき也。と、このなかに勝負を超越した勝負の奥底をのぞくことが出来ることについて説いている。

武蔵はこの書全体を一対一の勝負のみでなく合戦にも、更に社会生活全般にも適用し得るものと自信を持っていたのである。書画、彫刻、などからみても、常にそのねらいが成功しているのは彼の実際の体験をそのまま生かして用いたからであろう。

従ってこの書は彼の実体験より筆になるものである故に多くの教えるものがあるのである。

著者略歴

明治四十年三月二十九日宮城県名取市愛島村字北目五十八番地に生る。生来の勝負好きで小学校時代より剣道を学び、昭和二年五月日本大相撲協会力士清瀬川関を訪ね名取川として入門する。同九年五月入幕、同十二年春幕内筆頭に昇進、同十七年春引退、年寄北陣を襲名し、同十九年七月応召し中支派遣軍として転戦し、上海にて将校に居合を指導する。同二十一年復員し郷里にて百姓をする。この間、昭和十三年九月（力士現役中）中山先生の門人となり居合道に精進する。

昭和十四年五月一日中山先生より日本伝居合、大森流、英信流各五段位を授与さる。

同三十年五月七日中山先生滞在中、有信会居合道連盟を組織、同三十年十一月水道橋に居合道場を改築し、会員多数稽古に精進し、第一回有信会居合道大会を開催し先生より居合道七段位を授与さる。

同十一月二十日中山先生の御内意を得て大日本居合道研修会の復活、之の実現を見、その会長となる。同三十二年七月空地に鉄筋三階を建て、三階の二十三坪を研修館道場として発会式をかね第二回有信会居合道大会を盛大に催す。同三十七年五月居合道八段に昇段。

同三十九年九月六日仙台市立体育館に於て行われた全剣連主催全日本東西対抗剣道大会に際し羽賀準一先生と共に居合特別演技を行う。

同三十九年東京オリンピックに日本武道館に於て、居合道代表として門人四人と出場。

同四十年八月札幌市に於て全剣連東西対抗剣道大会に特別出演。

同四十一年居合道範士号授与さる。

同四十一年十月第一回居合道教本を発行する。

同四十二年三月（居合・剣道・杖道・相撲道場）を建設（坪数七十坪）

同四十二年夢想博道会を組織し幹事長に推され、全国に会員五百名に達し、毎年二回の総会を催す。

同四十二年九月十五日鹿児島に於て全剣連の東西対抗剣道大会特別出演。

同四十二年十月四日第一回国際剣道大会に試斬出演。

同四十三年二月全剣連居合制定委員に任命さる。

同四月十五日中山博道先生顕彰碑を麻布天真寺に全国会員の御協力を得て建立する。

同九月十五日福島市に於ての全剣連東西対抗剣道大会特別出演。

同四十四年四月五日武道館に於て第一回世界剣道選手権大会に門人五人と詰居合出演。

同九月武道学園居合道講師に任命さる。

同四十五年五月一日山形県楯岡市日本一社林崎神社に林崎居合始祖神碑を建立奉納する。

同四十七年五月全剣連より居合道九段位を授与さる。

同四十七年十月十五日旧国技館日大講堂に於て中山博道先生十三回忌法要武道大会を催し盛大に行う。

同四十七年十一月二十六日武道館の武道祭に四十名と共に居合道演武。

同五十年九月七日研修館創立二十周年記念武道大会を両国旧国技館に於て挙行する。

同五十一年九月二十三日中山博道先生十七回忌法要武道大会を青山中学校体育館に於て盛大に行う（試合形式）

同五十三年九月十五日中山博道先生二十年祭記念武道大会を新武道館（鹿島神武殿）に於て盛大に行う。

その他東北・北海道剣道大会に際し居合特別出演七回。

居合道――その理合と神髄

昭和63年12月１日　第１版第１刷発行
平成５年２月１日　第２版第１刷発行

●著　者　檀崎友彰
●発行者　小沢一雄
●発行所　株式会社体育とスポーツ出版社
東京都千代田区神田錦町２－９　麻生ビル
郵便番号 101
ＴＥＬ（03）3291―0911
振替口座・東京 0-25587
●印刷所　東京・共同印刷株式会社

ISBN 4-88458-172-5 C 3075

〈復　刻〉

居合道その理合と神髄（オンデマンド版）

二〇二二年十月二十日発行

著者　檀崎友彰

発行者　手塚栄司

発行所　㈱体育とスポーツ出版社
東京都江東区東陽二―二―二十　三階
電話　(〇三)三二九一―〇九一一
FAX　(〇三)三二九三―七七五〇

印刷所　㈱デジタルパブリッシングサービス
東京都新宿区西五軒町一一―一三
電話　(〇三)五二二五―六〇六一

ISBN4-88458-014-1　Printed in Japan　AB175